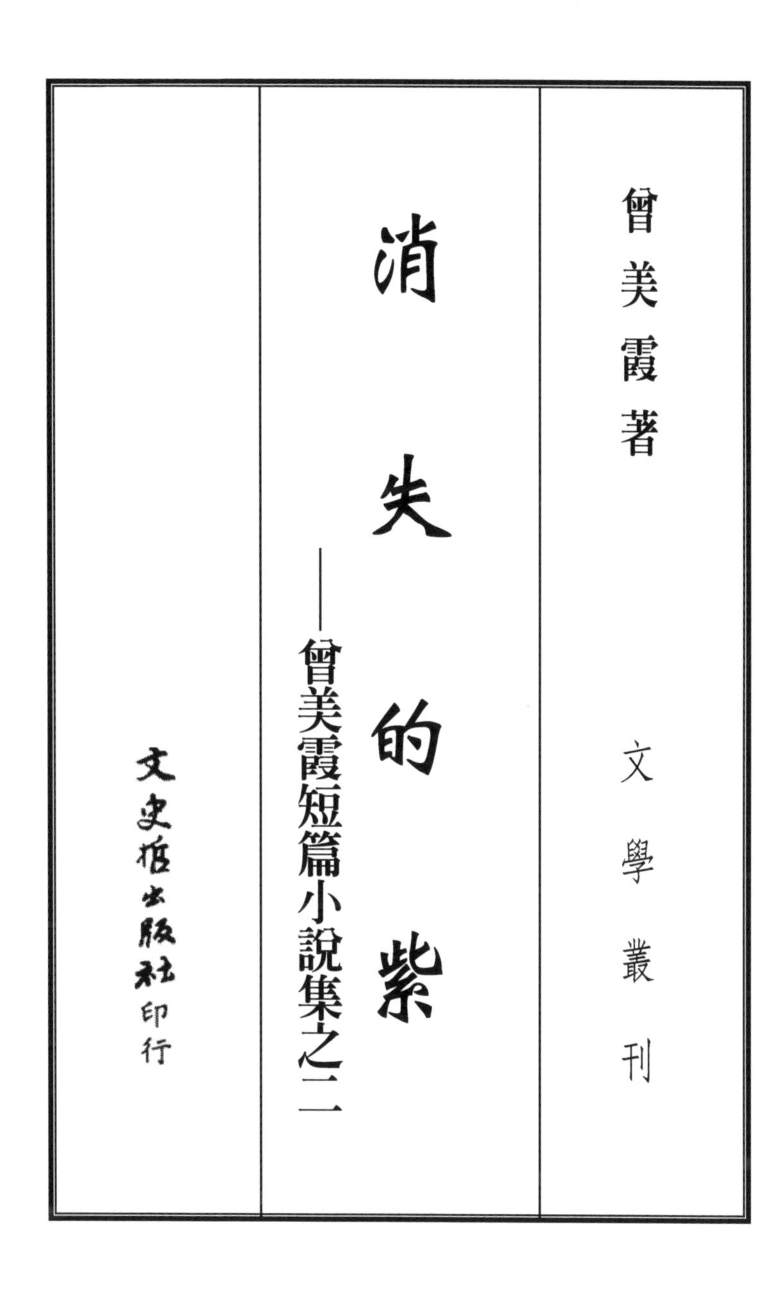

文學叢刊

曾美霞著

消失的紫

——曾美霞短篇小說集之二

文史哲出版社印行

國家圖書館出版品預行編目資料

消失的紫：曾美霞短篇小說集之二 / 曾美霞
著.--初版 -- 臺北市：文史哲，民 105.09
頁；公分（文學叢刊；370）
ISBN 978-986-314-328-4（平裝）

857.63 105016736

文學叢刊 370

消失的紫

曾美霞短篇小說集之二

著作者：曾美霞
臺北市仁愛路二段四十二巷二之四號二樓
電話：02-2321-1955
封面設計：陳逸多
郵撥帳號：19659236 陳逸多帳戶
出版者：文史哲出版社
http://www.lapen.com.tw
e-mail:lapen@ms74.hinet.net
登記證字號：行政院新聞局版臺業字五三三七號
發行人：彭正雄
發行所：文史哲出版社
印刷者：文史哲出版社
臺北市羅斯福路一段七十二巷四號
郵政劃撥帳號：一六一八〇一七五
電話886-2-23511028 · 傳真886-2-23965656

定價新臺幣二八〇元

民國一〇五年（2016）九月初版

ISBN 978-986-314-328-4 09370

消失的紫
——曾美霞短篇小說集之二

目　次

比馬龍

方芃牽著兒子小軒，丈夫周峰提著行李，一起走進松山機場大廳，方芃的弟弟方祥從裡面迎上來打招呼，看小軒一臉不悅，問道：「誰欺負你啦？快告訴舅舅！」

「爸爸不陪我去台南外公家。」小軒噘著嘴說。

「爸爸幫病人開完刀，立刻趕去台南陪你，好嗎？」周峰像是要說給妻子方芃聽似的：「爸爸是醫生，不能不救病人嘛！對吧？」小軒低頭不語，方芃也不答腔，方祥只好打圓場：

「時間差不多了，去劃位吧！」

「帶她們上飛機就偏勞你了，方祥。」周峰把行李交給方祥，揮手道別。周峰才轉身離開，方芃就對弟弟說：

「祥，小軒交給你了。」

「姊，妳一定要這樣嗎？妳和姊夫到底怎麼了？明天爸的壽宴——」

「我會趕到，你先帶小軒回台南，千萬別告訴爸媽我的事。」

走出機場大廳，方芃立刻搭上計程車跟蹤丈夫周峰。周峰的黑色賓士，在離機場不遠的地方接載了一位長髮短裙的惹火女郎，方芃認得那是周峰任職的醫院裡的護士張盈。第一次在醫院見到張盈，方芃就覺得白衣天使的制服掩裹不了張盈奔放的青春活力，當方芃客氣的感謝她在工作上對周峰的協助，她卻笑得閃爍曖昧，讓方芃十分不舒服，男醫師女護士偷情的畫面不時浮現腦海，揮之不去。如今，幻象成真，方芃吩咐司機追蹤到底！

周峰的車一路駛往郊區，駛進一家隱匿於一片樹木花草中的賓館庭園，親眼確定周峰和張盈走進去，方芃才跟了進去，向櫃檯服務員說：

「我要找剛才進去的人，他的賓士車和我的車有些小擦撞，我想跟他談談！」

女服務員遲疑著，她很清楚，來投宿或休息的客人，最怕被人打擾。方芃說：

「不然我找警察來處理好了！本來只是一些小擦撞……」

這個行業最不喜歡警察，女服務員心想，與其讓警察來，不如稍微得罪一下客人，何況雙方車子的小擦撞總是要處理，想必客人也不樂意讓自己上賓館的行為曝光吧！當下，女服務員便說：

「請稍等。」說著便撥了電話分機。

方芃記住女服務員按下的分機號碼，轉身上樓。女服務員一驚，來不及阻止，立刻以電話通知房客。周峰接到女服務員的電話，慌得大叫：

「張盈！快，方芃來了！」

「怎麼會？不是說她搭機去台南了嗎？你確定是她？」張盈有點兒懷疑。

「服務員形容的就是方芃！我可以確定！我也不知道怎麼回事，反正妳快逃，不，躲起來！」周峰邊說邊找能躲人的地方。

「我不躲，她既然來了，乾脆把事情攤開！」

「不行，她會受不了！」

「她父親是醫學教授，你就那麼在乎她，對沒背景的小護士，你就可以不必負責嗎？」

「妳說的是什麼話，好像我誘拐了未成年少女似的！」

「不然是我誘拐你嗎？」

「至少是妳主動的，我要斷，妳又不肯。」

「怪我主動？你一直批評方芃太保守，這不是變相鼓勵我要主動一點嗎？如果你不喜歡太主動的我，為什麼不拒絕？現在才放馬後炮，太慢了吧？」

「砰，砰。」隨著敲門聲，方芃的聲音也響起：「周峰，開門！我知道你在裡面！」

周峰硬著頭皮開了門，方芃走進房間就猛按相機快門，把房裡的狀況拍了個夠，才昂首走向窗口向外眺望，揶揄道：

「景觀不錯嘛！」轉過身來又不屑的指著周峰說：「領帶歪了，你是名醫耶，形象也要顧一下才好！」

「芃，我是想要結束這不正常關係而來談判的，真的，我發誓！」

「才怪，你剛剛還發誓要娶我呢！」張盈邪笑著否定周峰的說法。

「胡說，我怎麼可能娶妳！」周峰駁斥。

「怎麼不可能！你說你厭倦了依附方家，你說再怎麼沒沒無聞的小醫生也有起碼的社會地位，不像政商界需要有力的靠山，你說你後悔這樁婚姻……」

方芃冷峻的眼神像座冰山，漲紅的臉又像座即將爆發的火山。

周峰氣急敗壞，「啪」的一聲向張盈揮出一巴掌。

「你敢打我？我跟你拼了！」張盈摀著臉頰大叫，想要下床，才發現衣衫不整，急忙拉了毯子遮掩。

「別鬧了，密斯張。我一向感謝妳在工作上協助周醫師，沒想到妳連床上的事都照顧到了！」方芃轉頭對丈夫說：「周峰，既然你認為當方家女婿很委屈，那我們就分手吧！再見了！」

「方芃，聽我解釋——」周峰喊著並衝出去追方芃。

「沒什麼好說了，記得趕回台南給爸爸祝壽，像往年一樣做個好女婿，也許這是最後一次了，好好扮演吧，我會感謝你！回台北再辦手續，還你自由！」

「方芃，我說過了，我明天有一個重要的手術，早排好的，又沒法推……」

方芃根本不想聽下去，走到外面，搭上等在外面的計程車，揚長而去。

第二天，周峰作完手術立刻趕到台南給岳父、也是恩師的方教授祝壽，當然，更重要的是要向方芃解釋清楚，求得原諒。

雖然方芃和周峰盡量表現出一團和氣，可還是逃不過方教授的法眼，他確定女兒和女婿之間出了問題，在客人散去後，便把小倆口召來詢問。方芃被逼不過，只好全盤招供。

「你們實在太不像話，一個搞外遇，一個輕言離婚，真是不負責任！」方教授生氣的教訓他們。

周峰誠懇的請求岳父和妻子原諒：

「我對我的行為感到後悔，請原諒我，我發誓我會痛改前非，請相信我！」

方芃完全不為所動，若無其事的說：

「這無關原諒與相信，這是幸福與感覺的問題。」

「我絕不再犯，我保證會讓妳得到幸福，如同往日。」周峰再一次懇求。

方芃的媽媽方教授夫人這時過來打圓場：

「既然知錯能改，女兒呀，妳就原諒他吧！」

「你們不明白，他說讓我得到幸福，如同往日。其實，往日我也從來沒有幸福過……」方芃避開大家的眼光，幽幽的說：「爸爸以醫學教授的方便，為我物色了醫科高材生，卻沒考慮人家只是看上我的家世和嫁妝。在醫學院唸書時，周峰是鄉下貧窮佃農的兒子，我在都市長大，又是醫學教授的女兒，我在他眼裡，有一種因距離而產生的美感、因陌生而懷抱的憧憬，他純樸忠厚、誠實謹慎的對待我。然而在結婚之後，情況已經改變，他到大醫院任職，出入高檔餐廳、健身俱樂部，和政商名流吃飯、打球，他已躋身上流社交圈，我只是家庭主婦、黃臉婆，我已不值得他珍惜。他的名利來得太快、太容易，我每天只能倚閭望夫歸！」

洪教授聽到女兒如此埋怨生活，痛心的斥責：

「妳從小養尊處優，長大不必為求職而受刁難，不必為生計奔波操勞，不必為選擇對象而煩惱。多少人羨慕妳，想要擁有這些而不可得，你卻如此不知足！」

「幸福是心中的感覺，不只是物質的豐盛，人不是河邊的蘆葦，人會思考。死水一般的生活會使人腐化，滿室珠寶珍饈對行屍走肉有什麼意義？爸以為大家想要的，必定也是我想要的，卻不問問我的意見。就連周峰也不見得感謝爸爸為他做的，甚至可能急於拋掉恩情的包袱，擺脫強權籠罩的壓力呢！」

周峰一聽，急忙誠惶誠恐的否認：

「不，不是這樣。方芃受了刺激，變得悲觀、多疑，喜歡胡思亂想，才會這麼說，那不是真的！」

「女兒啊！雖然妳常說很遺憾，沒有轟轟烈烈的談一場戀愛，可是那畢竟是說笑。想想多少人祈求平順都不可得呢！妳要惜福啊！」教授夫人憂心的說。

「我不是說笑，我真的厭倦了我這種生活！我羨慕同學，他們有從政的、有從商的、有繼續深造的，都已經打出一片天地，跟他們比，我真是一事無成！」

「妳如果想就職就業或是深造，可以提出來討論的。」周峰說。

「我討厭事事商量，完全失去自我！」方芃顯得不耐煩：「一直作乖女兒、好妻子，生活像白開水，精神像植物人，我不要再這麼過下去！今天起，我要找回自我，做我想做的事，你們不要再勸我了——喔，對了！我讓小軒暫時住這兒，要麻煩媽媽幫我照顧一陣子。」

方芃正向媽媽請託時，電話響了。方祥去接。

「李大哥，我是方祥，找我姊？她在這兒！姊——」

「喔，我手機放在房間，沒聽見響聲……」方芃壓低了聲音，以手掩口，還轉過身去，像是交代什麼，隨即匆匆掛斷。看見大家狐疑的眼神，她故作輕鬆的解釋：「哦，是那個書呆子李立中，從美國回來看同學……就這樣。」她說完還瀟灑的聳聳肩，然而這麼一來更顯露出她的心虛。

「他現在不呆了，拿到雙料博士呢！」方祥不知有意或無意的補充說明。

方芃責怪的白了弟弟一眼，方教授和周峰卻同時一怔，臉色隨即暗沉。

「他還真會選時間回來，這時候誰有心情歡迎他，別管他了，想想自己的問題吧！」教授夫人想把現場重心拉回來。

「我想過了，我決定要去過不同的生活。我寧可去歷練狂風暴雨，也不願意平凡的老去死去，我要用湍急的水流沖刷周身的青苔！」方芃說得激越昂揚。

「這是何苦呢！好日子妳不過，說什麼……」教授夫人還想規勸女兒。

久未開口的方教授打斷太太的話，沉著臉說：

「別說了，此刻，我們的關懷，對她來說是多餘的。我們所說的幸福，也不是她要的，她現在只想去冒險，沒經過這一劫，她是不會罷休的。讓她去吧！」

方芃果真不顧母親苦口婆心的留宿，也不管丈夫幾近哀求的眼神，一刻也不肯耽誤，執意馬上離開。周峰只好強打起精神，拖著疲累的身心去發動車子，載著妻子駛上高速公路。

「他提早回來，妳急著去接機，是嗎？」路上，周峰打破沉默說。

「你？」方芃感到意外：「怎麼知道？」

「白開水換成美酒，妳的臉由蒼白轉為瑰麗。」

「抱歉，我的演技不好！」

「不，妳的演技一流，隱藏了妳的精神外遇，彰顯了我的實質外遇——他為了妳不結婚，令人感動，這次……是來帶妳走的吧？」

方芃無法回答，書呆子李立中一向不要求也不承諾，木訥癡情的他，從來只會默默的做。他沒有向方芃求婚，卻在方芃結婚那天焚毀他的暗戀日記後自殺，獲救後則遠走異邦……方芃每思及此，便不免一陣心疼。半年前方芃生日那天，李立中寄來一張卡片，卡片上只祝賀她生日快樂，其他的，一如往昔，沒有片語隻字的要求或承諾。然而，這次方芃不敢輕忽李立中無言的深情，她珍惜的收藏了那張卡片，在周峰忙於工作和應酬而把她冷落在枯燥的生活時，她總會拿出那張平凡的卡片來，一看再看，發現它在平凡無語中，有著李立中想要表達的某種東西，而且越看越覺得其中深不可測，畢竟，一個曾經為她自殺的人，不會無緣無故做作出無意義的事吧？為了愛，可以犧牲生命的人，絕不是一般平凡人，他做的事也一定不凡！方芃這樣相信。

「求變是人之常情，睡著了也會翻身，因為固定的姿勢讓人不舒服！」

「所以妳想要改變現狀？」

「明知道可能會有醜態，也想醉一次看看是什麼滋味！」

周峰沉默了，似乎努力的思考著什麼，許久，才又說：

「我知道，妳不但求變，還要求好。當年覺得我的醫科比他的文科好，所以選擇了我，如今，哈佛的博士勝過只會進出手術室的醫學士，我被淘汰並不冤枉！不過，我倒是很想知道妳們重新取得聯繫有多久了？」

被周峰突如其來的一問，方芃慌了：

「我，忘了耶——你怎麼會想要知道這個，這不重要吧？」

「經過幾年的沉寂，再度取得聯繫，這是值得記住的日子和事件，怎麼說不重要而忘了呢？」周峰微微轉過臉來，銳利的盯視了方芃幾秒。

「呃，大概四個月，也許五個月吧！」方芃隨便找話搪塞。

「不對，是半年──也就是說，在我的外遇之前！」周峰堅定的說。

方芃還想解釋什麼，周峰搶在她之說：

「聽個故事吧──塞浦路斯國王比馬龍，請人雕塑出心目中理想的美女，為了這尊美女雕像，比馬龍朝夕眷顧，魂牽夢縈，幾乎到了茶飯不思的地步。他的癡情感動女神運用神力賦予雕像生命，使雕像成為活生生的美女。」

「無聊的童話故事。」

「這不只是童話故事，現代心理學家認為，他人的期望，會成為一個人自我應驗的預言，心理學上稱為比馬龍效應！」

「你到底想說什麼？」方芃有點沉不住氣了。

「妳很清楚我要說什麼──妳主導了我的外遇！」周峰步步進逼。

「有沒有搞錯？哪個女人希望自己的丈夫有外遇呢！」

「一般妻子是擔心丈夫有外遇。但是！當她想離去卻沒有好理由，又不願意背負罪名時，那就難說了──怎麼不說話？被我說中了？啊！難怪妳對我的外遇是如此的冷靜，沒有歇斯底里的哭鬧，只有老僧般的談玄論禪，本來以為妳過度傷心而失常，現在才恍然大悟。」

「你的說法，我不想評論，既然決定分手，何必再多言？我只求早點回到台北。」

「妳想得美——」周峰把車開到路肩停住：「我才不急著把老婆送到情敵懷裡呢！我要休息一下。」

「你想故意拖延？哼！我才不吃你這一套，我去搭便車。」方芃說著，真的準備下車。

「妳瘋了嗎？妳要讓大家知道妳那麼急著去會情夫嗎？」周峰不放心三更半夜讓方芃站在高速公路上向陌生人招手，只好認輸。

此後兩人一路沉默，直到台北。一到家，方芃就催著周峰一起去找律師辦手續。

「唉，妳就那麼分秒必爭，急如星火嗎？連休息一下喘口氣都等不及？」

「別諷刺我，如果我以周太太身分去做婚姻關係存續中不能做的事，對誰都沒有好處，不是嗎？我只是不想污辱神聖的婚姻和愛情罷了！」

「是，是，是，我知道妳偉大聖潔，不像我齷齪可恥！行了吧？」

簽妥協議書，方芃自由了！走出律師事務所的她覺得空氣從來沒這麼清新過！李立中在電話中說如果一下飛機就能見面那將是多麼美好的事，雖然他還是一慣的沒有要求也沒有承諾，只稍稍表達了小小心願，但是方芃認為這就夠了，對於一個從不表達心中所想的木訥書呆子而言，一句再簡單不過的「如果、就能、將是」，已經夠多夠露骨了！方芃決定給書呆子李立中來個雙重驚喜，除了親自接機，讓他一下飛機就看見她，而且是恢復單身的她！希望這能使他減少顧忌勇於表達。大學時期他曾在方芃教室外面徘徊一個多小時，準備等她下課後邀請她看一項展覽，下課後才得知方芃在前一天已經去看過展覽！他懊悔自己沒有早一點邀約，惱怒的撕毀得來不易的門票。

到了機場，方芃一邊等候李立中，一邊想像他的外表和個性會有什麼改變，腦中充滿各式各樣的他。航空站大廳的播音，一次次響起，好不容易，李立中搭乘的班機終於抵達。

向來自信又大方的方芃竟然感到一陣暈眩，緊張得一顆心就要跳出胸口。她趕緊拿出粉盒，對鏡檢視一下，快速補個妝，再擺出優美的姿勢，專注地等待美好的一刻來臨！

來了，終於來了！李立中一出現，方芃立刻認出，他走在一對老夫婦的後面，穿著深色西裝，顯得自信又穩重。方芃的一顆心撲通直跳，像要跳出胸口似的。她想喊他，又覺得那樣有失端莊，不如優雅的靜待他的發現，卻又擔心他找不到她的身影，猶豫之際，李立中已經走過來握住她的手，既熱情又自然，大大出乎方芃意料之外。

「方芃，真的是妳，太令人驚喜！妳還是那麼漂亮！」李立中出自肺腑的讚美。

「歡迎回國！你變了——」想到李立中由木訥變成風度翩翩談吐得體，方芃激動得想哭：「是什麼使你有了如此巨大的改變？」

「妳也看出我的改變了？這都要歸功於一位女性！」李立中的聲音充滿柔情。

方芃正陶醉在自己具有強大影響力的當兒，不可思議的事情發生了。

李立中轉身，將一直站在他右後方那位金髮碧眼的洋妞攬了過來，說：

「容我介紹我的妻子琳達。」接著向琳達說：「這是我曾經跟妳提過的，我的同學方芃。」

方芃覺得眼前一黑，整個航站大廈開始旋轉搖晃，刻意站成丁字形的雙腳，因為重心不穩而踉蹌，靠著一股好勝心，才勉強立定。但對於剛才她所聽到的，她還是無法置信。

「你說她是——」方芃指指李立中，再指指琳達：「你結婚了？」她多麼希望剛才李立中所說的話是她聽錯了。

「方小姐妳好，我是琳達，立中和我上星期在美國結婚，立中說不要驚動大家，所以沒有通知妳們，難怪妳會這麼驚訝。」琳達的華語說得還不錯。

「我們特地把密月旅行安排到台灣來，既可以回鄉探望父母，又可以順便見見老朋友、老同學，是一舉三得的事。」李立中說得流利順暢，態度又誠懇熱切，一掃昔日的詞不達意與拘泥羞怯，他的說話技巧進步之大，真可謂士別三日刮目相看！

然而，方芃一點兒都不欣賞，她在他心目中只是老朋友、老同學？而他見老朋友、老同學，只是「順便」？

不過，方芃可沒那麼脆弱，對於自己長期醞釀、編織而成的劇本，也不會那麼輕易放棄。這時候她的固執展現出無比威力，她忽然想道：一個人的個性沒那麼容易改變，李立中應該還是內向害羞的，只是他多學會了掩飾和防衛。他害怕又被拒絕，先造設防護網，找了個性豪邁開放的琳達來當擋箭牌，飾演他老婆的角色，這樣會讓他能夠更自然的和女性交談。美國社交圈在需要男女成雙出席的場合，也常有人被要求充當男伴或女伴，聚會結束後，彼此各自回到原位，大家已經習以為常。李立中在美國生活那麼多年，把美國人那一套搬回來用，一點也不稀奇。何況，自己並沒有把恢復單身的事告訴他，難怪他要自我防衛。

方芃想要以「李立中在防衛」來說服自己，營造「李立中還是深愛著我」的假象來安慰自己，強迫自己相信自己並沒有錯！可惜，她的努力白費了！李立中的一句話打破了她的幻想，他說：

「我知道周峰喜歡集郵，收藏許多珍品，琳達也喜歡集郵，我想帶她來欣賞周峰的寶貝郵票，不知道能不能如願？」

——天哪，李立中刻意安排這一場會面，是有求於她，利用她來達成琳達的心願，讓她這個女人服務另一個女人！方芃心中暗自慘叫。剛剛還在努力構築美麗城堡，不料夢想有如玻璃屋，經不起輕輕撞擊，立刻破碎！才燃起的希望火苗，被當頭澆熄！

「妳願意幫忙嗎？」李立中禮貌地追問著。

「沒問題，我來安排。」方芃勉強維持著優雅和禮貌。

「立中——」不遠處，有人叫著疾走過來。

「大哥，大嫂。」李立中迎上前去熱烈寒喧了起來，好一陣子才想起方芃還在場，趕緊為彼此介紹，並且抱歉的對方芃說：「不好意思，我大哥大嫂是來接我和琳達……」

方芃意會到李立中將要下逐客令，立刻知所進退的說：

「那就別耽擱了，快去吧。再見！」

「拜訪周峰，參觀珍品郵票的事就拜託妳了！」李立中臨別還不忘再次叮嚀。

一票人簇擁著興奮的離開了，只剩下孤零零的方芃，茫茫然不知所為何來！航站大廈裡，人潮進出依舊萬頭鑽動，送機接機，離別重逢，人人有表不盡的情意，說不完的話語，還有班機起降的播音不絕於耳。在如此熱鬧吵雜中，方芃卻彷彿陷在孤島一般遺世獨立，週遭的喧囂，她的落寞，兩者完全不相關——就像她和李立中的格格不入——不是一方表錯情，就是一方會錯意，彼此如同圓枘方鑿毫無默契！

方芃覺得人生好乏味！踽踽獨行，走到一處販賣場。

「咖啡？果汁？酒？還是……」店員殷勤的招呼著。

咖啡太提神，果汁太冰涼，酒太刺激，而她現在只是渴：

「我好渴，先來杯白開水吧！啊——」方芃忽然想到什麼似的大叫：「白開水，對，就是白開水！」

店員還來不及送上白開水，方芃已經不顧形象，在大家異樣的眼光中大叫著跑了出去——不錯！濃烈的醇酒、馥郁的咖啡、香甜的果汁，滋味固然令人陶醉難忘，但是平淡無味的白開水才是生命所需！她忘本的想要追求刻骨銘心的絢麗激情，得到的卻是羞辱和難堪。看來，她這輩子只配當個看戲的觀眾，驚天動地轟轟烈烈的愛情故事，就讓別人去演了吧！

方芃急急的回到家，一開門，濃濁的空氣夾著酒味撲鼻而來，方芃皺了皺眉，看見周峰敞開衣襟，疲累的躺在沙發上，冒出黑鬍渣的臉上泛著油光，就連窮學生時代也不曾這副模樣，畢業後的他更是注重衣著儀容，像這樣沒精打采的狼狽相，讓方芃嚇了一跳，也十分心疼。

「你沒上班，一直在這裡喝酒嗎？你請假了嗎？」

「他媽的那個班有什麼好上的！再去跟那騷護士鬼混嗎？整天賣命似的看診、開刀、寫處方，為了老婆孩子而努力，結果呢？老婆根本不欣賞不領情，說跑就跑了！孩子也抗議老爸沒時間陪他，上班有意義嗎？現在老子愛怎樣就怎樣，誰管得著？倒是妳，多年不見的老情人回來了，妳不是想他想瘋了嗎？

怎麼沒多抱一抱，回來做什麼？」周峰紅著一雙醉眼說。

一向斯文有禮的醫師，嫉妒起來所說的話，和鄙俗的流氓沒兩樣，可見教育薰陶出來的白袍裡還是潛藏著粗野的本性。方芃覺得有點意外，但是奇怪的是並不特別討厭，甚至還有點喜歡那種剝掉偽裝之後顯露出的坦誠本相，而她這種感覺也讓自己十分訝異。

「我不跟你談李立中的事，這房子雖然歸你，但我還是可以回來拿東西吧？」

「盡管拿吧！反正一屋子都是用了好幾年的舊東西、二手貨——那個書呆子喜歡舊東西二手貨，是嗎？我可以大方奉送，包括二手貨新娘子！至於我嘛……我會再去找全新的！全新的！哈哈哈！」

尖酸刻薄的話，明明顯示出他那顆小器善妒的心正在淌血，而他那包裹在強硬外表下的敏感脆弱自尊也早已摧折破碎！卻還在那兒虛張聲勢，假裝幽默慷慨。方芃覺得好笑，平靜的對這個受傷的自大狂說：

「我了解你，節儉成性的你不必裝大方！屬於我的，我需要的，我才會拿走！」

「隨妳吧！快點拿了快點滾蛋。咦……？」周峰發現方芃並沒有急著行動，還雙臂環胸好整以暇的端詳著周峰，周峰被看得渾身不自在，手足無措的說：「妳在看什麼、等什麼呢？」

「我說過，屬於我的，我才會拿走！可是我不知道現在我所要拿的是不是屬於我的。」

「妳不知道是不是屬於妳的？那是什麼東西？」

「他不是東西，是──」方芃彎腰趨身到周峰面前指著周峰說：「你！」

周峰愣住了，思考許久之後才恍然大悟，觸電一般震了一下，倏地跳起來說：

「妳說的是我？妳罵我不是東西──？」他的手用力抓住方芃的肩膀，他的眼緊迫盯住方芃的臉，接著問：「妳是說妳要把我拿走？」

方芃輕輕的點頭，周峰的雙眼已經像兩顆火球，就要把方芃燃燒了似的，他再次急促的問：

「而妳，妳不知道我是不是屬於妳的？」這次周峰不等方芃表示，用力把方芃攬住，同時逕自回答：「傻瓜，這還用問嗎？我當然是屬於妳的，百分百屬於妳的！妳不能拋棄我，我願意被妳帶走，無論到天涯海角……」周峰說話的聲音漸漸低沉，尤其，當他捧住妻子垂下眼簾的臉，熱吻如雨點般灑落時，他說的話甚至已經變成呢喃。

方芃覺得全身受傷，肩膀被抓得淤血，腰幾乎被折斷，兩頰快要被捏碎，鬍渣又刺得她滿臉痛。但是，她享受這痛，這痛讓她快樂，對，就是痛快！她忍不住格格的笑出聲來。

84年8月1日　新生副刊

沙茶火鍋

政熙一進家門，湘怡就從沙發上一躍而起，衝向前，揚起手上的一個大信封袋，對著他吼：

「你還有臉回來？以為我不知道？」

「怎麼了？」政熙一臉無辜，一面解開外衣釦子，一面走向餐廳，拿起桌上的水杯裝水。湘怡一個箭步趕來，伸手一揮，杯子掉落地面，幸好是個美耐皿製品，只發出喀勒喀勒聲響。

喝不到水的政熙有點無奈，抬頭看結婚五年的妻子：乾澀的長髮攏成後腦的馬尾，束髮帶無力的下滑，勉強鬆垮地搭啦著，以至於較短的細髮絲都掉落在前額和兩頰，隨著湘怡急促的喘氣和動作而零亂地飄動。

他厭煩的別過頭去。他喜歡看女人把頭髮梳理得整齊有致、一絲不紊，襯托出一張潔淨的臉，就像婚前的湘怡。然而不知什麼時候起，湘怡那光鮮可人的模樣不見了，取代的是一頭亂髮，加上濕答答、黏糊糊、油膩膩的臘黃臉。此刻，這張臉正涕泗縱橫的扭動嘴唇，用沙啞的嗓音嘶喊：

「你真沒良心，當我生下小貝時，你們就開始了，對不對？」見政熙不說話，湘怡又逼問：「你以為不說話就沒事嗎？不敢承認是嗎？我給你看——」

「唰——」的一聲，湘怡將一個信封袋往桌上一甩，從袋裡滑出照片、電話、地址等資料。

政熙垂眼一瞄，知道他和莉娜的事情敗露了。這事，他一直隱瞞，心裡也一直充滿矛盾愧疚，明知不該做，卻做了，而且到現在還持續著。幾次想結束，卻一次次心存僥倖以為湘怡不會發現，事情就在提防中拖延著。現在，終於被發現了，一場風暴早在意料中，他只能靜候處置。

政熙想讓湘怡審個夠，拉出椅子，想坐下來，湘怡上前抓住政熙胸口，不讓他坐下：

「你這狼心狗肺的東西，我上班、帶孩子、做家事，辛苦的賺錢、省錢，才買了房子，辛苦的撐持這個家。你卻花錢在外面租房子給女人住，騙說要去出差、加班、應酬，其實都在跟那個女人鬼混對不對？」湘怡喘口氣繼續說：

「不要以為我好騙，我早就覺得不對勁，只是沒時間去查，想不到你居然把我當傻瓜，在狐狸精那兒玩累了，半夜回到家來還說加班加得好辛苦，要我幫你弄點心、放洗澡水，你到底把我當作什麼呢？嗚……」湘怡說著說著竟像小孩一樣哭出聲音來。

「你認定了我想拿全勤獎金，捨不得請假，又拼命加班，還要帶小孩，沒時間管你，所以你可以很放心的去玩女人，對不對？真的太過分了！我這次再怎麼心痛也要花錢請人來調查，上天入地把你查個清楚。不然，哼，你實在欺人太甚了。嗚……老婆為你賺錢、管家、帶小孩，狐狸精陪你玩樂，享盡齊人之福。哼，你乾脆死在那裡，不要回來！」

政熙沒答腔，默默撿起被妻子丟到地上的外套，往門外走去。湘怡見狀急忙衝到政熙面前：

「又要出去？你要去哪裡？失去這個家也不在乎嗎？」

「是妳叫我死在那裡，不要回來。」

「你——好，你拿話堵我，你怎麼不說這一切都是假的？請人調查的也未必真實，你也可以否認吧？」湘怡眼裡有著一絲期待與渴望。

政熙猶豫著，想順著妻子的意思說「這一切都是假的」，但他一想到妻子瞞著她進行調查，不知道跟蹤了他多久，當自己以為神不知鬼不覺的當兒，其實正有眼睛盯著他，而他自以為得逞的那份得意，在窺伺者看來一定愚蠢可笑。一想到這一點，他的自尊心便大受損傷，自卑感啓動了強烈的防衛機制，再看看湘怡扭曲變形的臉，更令他惱羞成怒，於是脫口說出與原意相反的話：

「那是真的，三年了。」

政熙冷冷的說了幾個字，湘怡便又瘋了似的大叫：

「你是魔鬼，你去下地獄，我再也不要見到你，滾——不要以為沒有你我就活不下去，滾——」

「媽——」一聲稚嫩的童音，凝住了哄鬧的氣氛。

小貝的身影出現在客廳中，正要邁出家門的政熙，停下腳步，湘怡跑上前去抱住小貝，說：

「小貝，爸爸不要我們了，爸爸要走了，小貝——」湘怡忽然停住，陡地抱起小貝塞給政熙：「要走統統帶走，我什麼都不要了！」

湘怡隨手取來一個袋子，抓了幾件小貝的衣服裝進去，交給丈夫，打開門，把抱著女兒拎著袋子的丈夫推出門外：

「滾——」

重重的關上門不久，湘怡便後悔了，她開始擔心起來，於是跑到門外去看，接著更跑到巷口東張西望，卻遍尋不著丈夫和女兒的身影。

「于太太，剛剛遇到于先生，帶著孩子搭上計程車，我們還覺得奇怪妳怎麼沒一起去呢！」隔壁新婚不久的顧先生和新娘子，正好經過，向湘怡打招呼。

湘怡尷尬的胡亂應著。看人家親親熱熱的，湘怡不禁悲從中來。沒精打采的回到家，仰躺在床上，瞪視空蕩蕩的房子，除了牆上的的時鐘滴答響，再也沒有一丁點兒聲息。強烈的挫折與無助侵襲了她，她翻身趴在枕上放聲大哭。

取面紙時，摸到一個氣球，是昨天小貝帶回來的。湘怡去拿氣球，沒抓穩，飄開了，湘怡瞪視著，用力撲抓，忽然「碰——」的一聲，氣球破了。湘怡撿起氣球屍體，喃喃的說：「是我弄破的嗎？還是本來它就該破了？是我把他趕走的嗎？還是本來他就打算要走？我勞累了幾年，得到的結果就是這樣？」

小坪數的房子竟然顯得空曠，湘怡在兩房一廳之間自怨自艾的來回晃蕩，許久，她才放棄「政熙和小貝忽然出現在眼前」的無謂妄想。她頹喪的取了一瓶擺了很久都捨不得開的洋酒喝起來，直到把自己灌醉。

政熙帶著女兒，狼狽的來到莉娜住處按了門鈴。莉娜開了門，訝異的說：「怎麼，她知道了？」

「她花錢請人跟蹤拍照調查——啊，我必須帶著小貝，可能會給妳帶來一些麻煩。」

「情況怎樣？」

「她說我要走就連孩子一起帶走，她以為我不敢……嗯，妳知道附近有幼稚園嗎？」

「附近有一家，每天娃娃車都會經過，明天就帶她去。」

小貝經過政熙耐心婉轉的說明和安撫，聽話的住下來。

在理容院工作的莉娜，通常起床較晚，自從政熙和小貝住進來，就打亂了她的作息，睡眠不足使她整天都昏昏沉沉的。每當想到要多洗兩個人的衣物，尤其是男人襯衫領子和小孩衣襟的污漬，就讓她感到沮喪和厭煩，若不是政熙一再拜託，她根本不想伺候這對父女。

酒醒後再喝、再醉倒的湘怡，被電鈴和撞門聲吵醒，開門一看，是公司同事柳英：

「妳想嚇人哪，我差一點就去報警呢！」

「怎麼啦？」湘怡睡眼惺忪、衣衫不整、披頭散髮，一副宿醉未醒的樣子。

「怎麼啦？妳竟敢這麼問，我們才該問妳什呢！不說一聲就不上班，電話也沒人接。做事一向認真的你，連續曠職兩天，一聲招呼都不打，誰不耽心呢！

如果妳沒有好理由，就準備打包走人吧！」柳英誠懇的勸說。

「打包就打包，有什麼大不了，我正想改行學理髮呢！」眼皮浮腫的湘怡聲音沙啞，沒精打采的說。

「發生麼事了？幹嘛學理髮？」柳英急得直問。

「我輸了，輸給一個理髮小姐！我全心奉獻給這個家，他卻毫不眷戀，說走就走，我真的那麼差勁嗎？」湘怡茫然的說。

「妳是說，于先生他走了？小貝沒有爸爸了？」

「應該說沒有媽媽。」

「這我就不懂了，那麼可愛的女兒，妳親生的耶，妳怎麼可以不要她呢！」

「孩子是兩人的，他也有責任帶小孩！總不能一直把孩子丟給我帶，自己天天跑去玩女人吧——」湘怡激動的說，忽然臉色黯然：「我也很想念小貝，只不過，已經說出那樣堅決的話，怎能去向他們低頭說我後悔了呢？」

「所以妳就曠職逃班，躲在家裡喝酒發愁，後悔懊惱，把自己弄得不成人形？妳不需要這份工作了嗎？妳不肯向他們低頭示弱，帶回小貝。可是，妳這個樣子，就表示妳很行、很堅強、很厲害嗎？妳覺得這樣的妳，可以在他們面前抬頭挺胸神氣驕傲嗎？我想那個女人看到妳這樣，一定非常得意的舉起雙手、高聲歡呼、慶祝勝利吧！」柳英故意拿話刺激湘怡。

「我才不讓他們看到我的狼狽相，妳等著瞧，我要逍遙自在的吃喝玩樂！妳先幫我回去跟老闆補請假，說我發燒昏迷，我明天就銷假上班！」

柳英離去後，湘怡開始整理屋子，全身上下也徹頭徹尾的梳洗一番，果然精神大振。

下午五點多，莉娜拎了皮包向老闆打招呼說她有事，要早走。老闆臉色不豫，不過這個行業老闆並不給付薪水，理容小姐是按件計酬，所以老闆不敢對莉娜的遲到早退有意見，倒是同事們的閒言閒語，讓莉娜很困擾，淑芳就曾以歷經滄桑的過來人身分勸告她：

「他離婚了嗎？他要娶妳嗎？他送妳豪宅珠寶嗎？不然妳何必幫他帶小孩？到時候妳能撈到什麼？只撈到一大把年紀！」

莉娜不是不知道，在這個行業混了幾年，看到姐妹淘的「歸宿」，不是吃軟飯的，就是老得可以當父親的。這一類的對象，莉娜也有過很多機會，但是她怎樣也沒辦法勉強自己跟這幾類人共同生活。

三年前莉娜被政熙溫文儒雅的氣質談吐吸引，於是不在意他已經結婚生子，答應做他外遇的情人，與他共築愛巢。三年來倒也平靜無事，她和政熙租屋同居，政熙只有補助他一些生活花費，既非「風塵女倒貼小白臉」，也不像「闊佬包養女人」，這種方式讓莉娜覺得她與政熙地位平等，更像社會上一般情侶的同居，而這也正是讓好友淑芳看不下去的地方，因為她覺得莉娜只是在做傻事。

現在，莉娜正在做著更傻的事：照顧政熙髮妻的女兒。因為這已經打亂了她的生活步調，她得早起料理小貝上幼稚園，下午生意正忙的時候，她必須去接小貝回來，然後是做一連串的家務事——吃力不討好的事！她辛苦做的餐點，小貝卻批評說：阿姨做的荷包蛋好難吃；阿姨做的咖哩飯好噁心；阿姨做的紅燒肉有怪味！政熙和小貝還不時以他們共同的語言習慣談著他們的共同經驗，把莉娜這個煮飯婆晾在一邊，完全搭不上話插不上嘴。像那次晚餐，政熙舀一匙飯送到小貝嘴邊，說：

「快吃，不然……」

「河馬來了。」小貝大叫一聲，一口吃下那匙飯。

莉娜問政熙那是什麼意思。

「河馬就是媽媽，她想吃我的飯，我要比她更快。」小貝搶著回答。

「那阿姨來當河馬，河馬來了！」

「妳是大象，妳不是河馬！」小貝一口否定。

一片熱心被潑了冷水，莉娜有些懊喪。當她看見剛剛清理過的地面，轉眼又滿是碎肉飯粒、殘羹湯漬，一股莫名的煩躁沒由來的升起：

「吃得規矩點，別掉得滿地都是！」

政熙對莉娜這突如其來的火氣，感到不解與不悅，他覺得小貝年幼，很多事情還無法控制，這是年齡問題，和規矩教養無關。因此，政熙嚴肅的糾正了莉娜，兩人之間產生了鴻溝。

還有一天晚上，小貝忽然發燒，政熙嘟囔著：

「是早上出門穿得太少了嗎？還是洗澡時著了涼？」

莉娜聽了非常反感，立刻反問：

「你是在怪我嗎？早上該穿幾件，你可以說呀！洗澡時著涼？是嫌我不會洗還是說我是故意的？我本來就不會幫小孩洗澡，為什麼叫我幫她洗呀？你怎麼不回來幫她洗呢？我忙了半天，不但沒功勞，還有罪，這叫做吃飽了撐著，沒事幫人家帶什麼小孩！要讓人家快樂高興，還得保證人家沒病沒痛，我可真是無聊透頂！」

「我不是怪妳，我只是在探求原因，這孩子很少生病的。」

「你要找出罪魁禍首，看我是不是傷害你女兒的兇手？」

「唉！妳想到哪兒去了。」

政熙帶小貝到附近診所就診回來後，莉娜還在生氣。

「好了，沒事了，睡吧！」

「折騰了一天，我都氣飽了，還睡？」

「今天孩子發燒，我說話重了些，讓妳受委曲了。」

「不只是今天，自從你女兒來了之後，我就沒有好好的睡過一覺。吃苦也就算了，想去關心還被潑冷水！」莉娜沒好氣的埋怨著。

「小貝沒有真心的依賴妳，是因為妳沒有真心的關懷她。像剛才，妳只努力為自己辯白，並不為她擔憂；妳在乎的是妳能不能睡飽，不是她能不能退燒。」政熙冷冷的說。

莉娜無語，腦中浮現好朋友淑芳給她的那些勸告，心情陡的跌入冰窖，一切忽然顯得毫無意義。

湘怡提著裝滿小貝衣物的袋子，站在理容院門口。為了不被莉娜的年輕時髦比下去，她今天特地花錢去做新髮式，仔細修飾臉部，穿上以前吃喜酒才捨得穿的洋裝。刻意打扮果然讓她充滿信心、神采奕奕，吸引不少行人目光！平日忙著賺錢和省錢，沒有休閒娛樂，不講究格調品味，忽略了修飾而失去魅力，也許這才讓丈夫轉而注意外面的女人吧。湘怡若有所悟，覺得丈夫的外遇，似乎自己也該負一些責任。

男士理容院女賓止步，湘怡拜託門口擦鞋僮傳話找莉娜。莉娜從深色玻璃門走出來時，湘怡看過請人調查時拍攝的照片，一眼便認出，急忙上前將袋子交給她，說：

「天氣涼了，是小貝的衣物。」湘怡說罷，轉頭就走，不敢久留，擔心吵起來；女兒的近況也不敢問，怕情緒崩潰。

莉娜來不及和客人談話，客人已經離開了。看著客人蹬著高跟鞋的背影，「是他妻子吧！」她這麼猜測。淑芳走過來同情的說：

「妳看人家多清爽多悠閒，把衣服交給妳，就算盡到做母親的責任了，然後光鮮亮麗的逛街上館子，自由自在輕鬆愉快。妳呢，沒結婚，沒生子，卻得伺候她的男人和小孩，把自己累成黃臉婆！」

「黃臉婆？」莉娜摸摸自己的臉。這些日子以來的睡眠不足，情緒緊繃，壓力過大，原本光滑柔嫩的臉頰，已經冒出一堆青春痘；攬鏡自照，也發現顴骨上原本稀疏難辨的小雀斑，竟然顏色變深、數量變多了。

「他還喜歡這樣的妳嗎？」淑芳問道。

「我——」莉娜想起近日政熙的冷淡，黯然道：「我們吵了架。」

「難免的啦，男人看膩了家裡的黃臉婆，才去找外面的女人，如果外面的女人也只是另一個黃臉婆，能不煩嗎？」

「那我怎麼辦？」莉娜顯得六神無主。

「把孩子還給她呀！」淑芳輕鬆的說。

「她就是不要了，才推給我的！」莉娜不認為可行。

「妳沒生過孩子，難怪妳不懂，做母親哪有不要孩子的。看看我們身邊的人就知道了，多少姐妹淘遇人不淑被男人遺棄，還不是緊緊抓住孩子不放，有些像垃圾一樣的男人，明明不負責任、不照顧妻兒，竟然還拿小孩脅迫老婆給錢！女人為了撫養臭男人的小孩，還得懇求他、給他錢，這些女人就算遇到好男人，也因為拖著孩子很難再嫁，即使這樣，這些傻女人也不後悔，為什麼？對！只因為她是母親！」

「那，她是？」

「沒錯，這只是她的手段，不然她怎麼在乎天氣涼了，要為孩子送衣服？妳把孩子還給人家吧！」淑芳肯定的建議著。

「可是，政熙不知道會不會同意。」莉娜還猶豫著。

「妳當然不能說妳不要他的孩子，妳必須說，為了孩子好，體念做母親的心，所以忍痛還給她，讓她們母女團圓。」

「哦——我懂了！」莉娜茅塞頓開。

隔天，湘怡在家聽到門鈴響，邊走邊問是誰，開了門。

「媽——」小貝迎面撲過來，湘怡本能的抱住，狐疑的問莉娜：「為什麼？」

莉娜看著她們母女的親密互動，故意說：

「妳不要嗎？」

湘怡緊緊摟住小貝，堅定的說：

「即使是獨力撫養，我也不會讓她離開！」湘怡啄木鳥似的親著小貝的臉。

莉娜看到她們母女舐犢情深，悄悄走開。

政熙下了班回到莉娜家，卻不見小貝。

「我把她送回去了。」莉娜輕描淡寫的說。

「送回去？妳把小貝送回去給湘怡？」政熙似乎不太相信。

「是啊，送回去了，她也收下了。」莉娜平靜的回答。

「這是怎麼回事？」政熙弄不清楚狀況，心情混亂。

「你坐下來聽我說。」莉娜不慌不忙的把淑芳教她的那套說詞搬出來說：

「我跟小貝才相處幾天，就已經對她產生感情，何況是親生母親？她怕孩子受凍受寒，今天特地送衣服來……我可以想像她的痛苦，我覺得拆散骨肉是殘忍的事，我雖然不願意讓可愛的小貝離開，但是，我怕相處得越久，越離不開，與其到時候心如刀割，還不如早一點處理。果然，她說她有能力獨自撫養小貝，聽她這麼說，又看到她們母女相會的感人畫面，我覺得我做對了一件事，我雖然對小貝依依不捨，卻也很高興做了好事。」

政熙覺得千頭萬緒等待釐清，靜默不語。

「對了，上週我去做身體檢查的結果出來了。」莉娜忽然想起有事要說。

「哦，結果怎樣？」政熙心不在焉，隨口淡淡的說。

「醫生說我可以安心的懷孕。」莉娜掩不住喜悅，故作神祕的說。

「妳——懷孕！？」政熙像觸電般驚呼起來。

莉娜以為政熙是喜出望外，偏著頭裝出嬌嗔模樣，說：

「幹嘛大驚小怪呀！」

「妳想懷孕？別開玩笑了！」政熙一臉驚恐。

莉娜碰了一鼻子灰，只好訕訕的說：

「你不想?可是,我看你那麼喜歡小孩。」

「以後再說吧,我餓了,妳沒作飯嗎?」政熙對這話題避之唯恐不及。

「今天太累了,哪有時間作飯。我們到外面吃吧,你好久沒帶我上館子了,今天,去吃法國料理好嗎?」莉娜好長一段時間都在家裡廚房薰油煙,想到那睽違已久的浪漫情調和精緻餐點,不禁心嚮往之,體態輕盈起來,眼睛也閃著亮光。

政熙看著眼前嬌媚的女人,跟昨天的她迥然不同,忽然感觸良多:

——這才是真實的她吧!嫵媚嬌俏!照顧起小孩卻笨拙慌亂、憔悴煩躁。自己有必要改變她嗎?有權利改變她嗎?

——女人,只要生活豐足,有人呵護寵愛,不必為柴米油鹽家務俗事煩心,自然顯得容光煥發甜美可人吧!

從莉娜,政熙又想到湘怡:

——小瓶罄矣,維罍之恥。女人就像小瓶子,做為大瓶子角色的丈夫,沒有能力讓妻子過豐盛的生活,使妻子風光艷麗,已經是丈夫的恥辱,如果還要去嫌棄妻子為了生活奔波操勞而乾枯蒼老,那是如何的罪過呀!

政熙反覆思索,頓然有所瞭悟,不禁想起睽違許久的家。

「不喜歡法國餐？去吃日本料理也可以。」莉娜還在等政熙的回答。

「哈啾！」一陣涼風吹過，政熙鼻腔發癢，多麼希望此刻能有熱騰騰的什麼來暖暖身子、填填肚子——而，這是他一回家，湘怡就會準備好的。

「改天吧，我得回去看看小貝。」政熙站起來穿上外套。

莉娜感到愕然，愣了一會兒，追問已經在穿鞋子的政熙：

「你要回去……下次什麼時候來？」

「不確定，再說吧！」

計程車停在巷口，政熙付過錢下了車，瞥見一家超市入口貼了「火鍋料上市」的廣告，對，他現在最想吃熱騰騰香噴噴的火鍋了。走進超市選購一番，快步走回家，懷著忐忑心情按下門鈴。

湘怡開了門，兩人對望了一會兒，湘怡才幽幽的說：

「回來幹嘛，不是不要這個家了嗎？」

政熙慚愧又尷尬，正不知所措，小貝聽到聲音，奔跑著往政熙身上撲了過來。政熙趁機把手上的東西一古腦兒塞給湘怡，騰出手來抱住小貝。

湘怡怒目而視，不悅的問道：

「這是什麼意思！」

「喔，天氣冷，想吃妳做的沙茶火鍋，買了一些肉片、丸子——」政熙想起來，又補上一句妻子最愛聽的話：「正在促銷，打七折呢！」

政熙抱著小貝，順理成章的進到屋子裡。

湘怡似乎心有未甘，不想就這樣便宜了政熙，讓他輕易的偷渡盜壘得分。所以大動作的扯開袋子，把肉片、丸子等食材，一包包一盒盒抽出來，用力丟在餐桌上，嘴裡恨恨的說：

「只會自以為是，想怎樣就怎樣，做事可以這樣嗎？從來不仔細考慮！」

政熙知道湘怡對他外遇的事仍然憤恨難消。當然了，哪個女人能容許丈夫的背叛呢？社會上還有人因而自殺、互殺的呢！政熙檢討過了，比起湘怡無怨無悔的一心為家付出，自己真的太任性了，不但沒體諒妻子的辛勞，還出軌在外面養女人，如果湘怡要懲罰他，他也絕無怨言，所以他誠心誠意的說：

「我知道我錯了，請妳原諒。」

「哪有這麼簡單，說原諒就可以了嗎？」

「我會改過，永不再犯！」

「光說有什麼用，要去做啊！」湘怡說著，把一些蔬菜丟進水槽。

「我會以行動證明給妳看，我真的準備好了！」政熙急著讓湘怡相信，恨不得剖心掏肺。

「準備好了？在哪裡？我怎麼沒看到？」湘怡指著攤開在桌子上、流理台上、水槽中的各項物品，沒好氣的說：「你以為想吃什麼就有什麼，你有沒有考慮周到？東西買不全，一句你錯了、請原諒，你會改過、會以行動證明，這樣就有火鍋吃啦？請問——沒有沙茶醬你還能吃什麼沙茶火鍋呢？」

「哦——」政熙腦門一亮，心頭一緊，血液忽地沸騰，頃刻間滿臉又紅又熱，鼻子一酸，眼眶也濕潤起來，他扯開喉嚨叫：

「小貝，走！爸爸帶妳去買沙茶醬，我們晚上吃沙茶火鍋！」

消失的紫

夏日的天氣熱得柏油路面冒煙，我穿上久久才拿出來一次的淺色西裝，不是不怕熱，也不是愛漂亮耍帥，而是今天要到學校參加一個重要會議。

會議結束步出大門，想到路口去攔計程車，正沿著學校圍牆走著，忽然跟一位女人迎面撞上。

「對不起！」我立刻道歉，一彎腰卻發現全身衣服沾滿紫斑，不禁大聲緊張質問：「哇！怎麼會這樣？」

抬起頭看到的是一個漂亮的女人，小巧卻豐滿的嘴和五官秀麗的臉都驚嚇得失去血色，但這反而更加顯得純淨無瑕。

「糟了！把你弄成這樣，怎麼辦？」她驚慌的說。

「這，這是什麼？洗得掉嗎？」我小心輕緩的問，怕再嚇到她。

「對，趁早送洗也許有救，快——」

我不由分說的被推進剛好駛來的空計程車，坐定才問：

「要去哪裡？」

「我家樓下有認識的洗衣店，也許能幫忙。」

惶恐的她像待罪羔羊，跼促不安的我也逐漸升起一股莫名的憤怒和疑惑。

「這紫色液體到底是什麼？」

「那是作手工藝麵包花的染料，難得調出這麼美的紫，可惜……啊！抱歉，把你弄成這樣，都還沒有請你原諒，我怎麼能為那些顏料惋惜呢！」

對她的謙和有禮，我還能怎麼疾言厲色的斥罵她呢，何況我也有錯，若能仔細看路走路也不至於撞上她，於是我寬諒的說：

「妳喜歡紫？」

「嗯，它浪漫又內斂，熱情又含蓄，值得回味……」她說著說著竟陶醉其中，末了才想到我，急忙問：「你呢？喜歡紫嗎？」

「還好。」其實我偏好紫色不輸她，但我不想暴露真正的感覺，畢竟不是深交知己，所以故意輕描淡寫的回答。

她住在二十坪大小的套房，一屋子紫色系列的裝潢浪漫得缺少真實感，不像住家，倒像是用來展示商品的場所或是攝影棚的布景。

「請你換下衣服。」她遞一套休閒服給我。

她的大方消除了我的拘泥，當她拿著髒衣物出去，我忍不住到處瀏覽，看來屋裡並沒有男人同住的絲毫跡象，難怪給我穿的中性休閒服稍微小了一些，而且有股她身上散發出來的紫羅蘭香，不過以她的條件怎麼可能沒有另一半呢？正想著，她回來了。

「洗衣店老闆答應馬上處理，他還保證可以恢復原狀。」

「對不起，讓妳費心了，其實我可以自己回家處理。」

「是我闖的禍嘛，就該我處理，對了！還沒吃午餐呢！」她說著走向廚房。

「我不餓，妳別忙。」

「不忙，我有現成的飯和各式咖哩速食包。」

「各式咖哩！」我忍住不叫出來，再次驚訝我和她有共同嗜好。

「不吃咖哩嗎？那我找別的……」她以為我被咖哩嚇到，打開冰箱翻找。

「我不偏食的。」我盡量裝出一副淡然神色，不讓她誤會我在投其所好。

隔桌對坐，她胸前的律動起伏使我心跳加速，我力持鎮定，不看不想，只問她芳名。

「我們被紫斑弄昏頭，都忘記自我介紹了，我叫夏耘，春耕夏耘的夏耘，你呢？」

「孟迪，孟子的孟，啓迪的迪，三十七歲，在大學教書，已婚，一個兒子。

夏小姐府上寶眷……」我先剖白，想勾出她更多資料。

「我剛離開一份工作和一個男人，現在正為一個夢想，獨自在這裡等待。」

「抱歉，問了不該問的。」

「不，我應該學習獨立，女人不能老是依賴男人，否則會造成怨懟和負擔。」

獨立？負擔？這暗示了什麼？我出神的看著她洗碗盤，眼光停在她背後的

拉鍊，心神盪漾……。

「孟教授，咖啡要加多少糖？」她忽然回眸一笑。

「啊！」我從遐思中驚醒說：「我自己來。」

她遞來糖罐，綣鬆的長髮拂過我眼前。

「好香啊！」我心嚮往之，目眩神馳脫口讚美。

「嗯？」她迷濛的大眼睛疑惑、幽遠、深邃。

「肯定是絕佳精品！」我深深吸氣，假裝在聞咖啡。

「盡情享用吧！有些東西是可遇而不可求的！」她曖昧的說。

盡情享用？可遇而不可求？這是什麼意思？指的是咖啡？還是……？她

説得極輕極柔，眼底焚燒的火花卻點燃了我，我像熱氣球般膨脹高升飛揚起來。

舒適的沙發，香濃的咖啡，使我異乎尋常的健談，盡情賣弄所有我懂得的東西，易經、食譜、籃球、政治、時事，無一遺漏，如數家珍，吃錯藥似的興奮聒噪，喋喋不休。我注意到她不但沒有不耐煩，還始終柔情凝視優雅淺笑，這更激發了我的睿智幽默和英雄感，此時的我就像張滿帆的船，漂亮帥勁的出航大海！

我暢快自在得像在自己家裡，講得興起，夏耘去煮開水我跟去；她放音樂我跟去；她切水果我跟去……如同向日葵朝著太陽，我就像個跟班跟在她身邊。跟啊跟的，不知不覺竟然跟到臥室去看麵包花作品，她在前笑著指著，我在後看著讚嘆著，沒提防的一轉身，兩人竟抱住了！

誰先抱住誰並不重要，重要的是——誰都不願意先放開！猛烈的心跳如戰鼓擂動，激越的熱情使血脈賁張，紫色雙人床像塊大磁鐵，強力把我們吸附過去。

喘息稍歇，疲累已極，濃濃的倦怠襲來，不覺沉沉入睡。

日光退去，夜幕籠罩，裸裎的肌膚感受到黃昏的寒意，四肢本能的抖縮驚醒彼此糾纏的軀體，暮色使一屋子的紫轉成暗灰。

驚慌中，我想逃離，急翻下床，踉蹌的跌撞在衣櫃前。

「這是你的衣服。」她把洗淨整燙過的衣服遞給我，我無法置信的看著她。

「沒錯，我比你先醒來，去了洗衣店。」她解開我一部分的疑惑，卻不讓我繼續質疑：「不早了，我不留你了。」

尷尬又迷惘中，很快的穿戴整齊，臨去前，我仍然認為我應該說些什麼。正要開口，她卻把我推出門外：

「去吧，不送了！」她關上門，沒說再見，也沒讓我說。

走在華燈初上的街道，霓虹燈閃爍得令我頭昏眼花，像宿醉後的倦怠，像熬夜後的萎靡，還有許多問號盤旋在腦中，逼得我頭痛欲裂。

一整個星期，我都還在暈暈陶陶，身體其實很快恢復正常，但是精神上還是恍恍忽忽，總覺得那一段如電影情節般的過程真是不可思議，離奇到我自己都懷疑它是否真的發生過。

我再也按捺不住了，決定採取行動，再次造訪夏耘的家。

如果那次的艷福令人驚訝，這次的遭遇就更離譜了！我按了夏耘家的電鈴，開門的是個洋人。

我向他說我來找這浪漫屋子裡的美麗女士。他彷彿聽了天方夜譚似的眨眨眼，撇撇嘴，聳聳肩，指一指他背後的一屋子髒亂，說：

「如果這可以叫做浪漫，我當然可以稱為美女！」

雖然被看成小丑或瘋子，我還是得弄明白：

「是你說錯了，還是我記錯了？」

「管理員和鄰居都可以證明，我一個人單獨住在這裡三年了！」

「可是住址、環境、景物都沒錯啊！」我堅定的說。

「也許是夢，我也常作，內容如你所說，有時候比你的更精彩，只是現實太殘忍，從來沒有如我願！夢畢竟只是夢！」洋人調侃我。

「今天跟你見面才是一場惡夢呢！」我恨恨的說。

沮喪中我想起洗衣店——上個星期有個美麗的女人十萬火急的要求立即除去西裝上的紫色污漬——他們應該記得！

怪的是洗衣店裡老闆夫妻和一位員工都發誓沒有這回事！

我不死心，花了好些日子再查訪附近鄰居、技藝班、麵包花材料行，居然沒有一個人知道或聽過見過她，夏耘就像流星畫空，不留一絲痕跡！莫非真是一場白日夢？

當然我也想到仙人跳之類的騙局，可是並沒有接到要脅恐嚇的電話或書信。時間在焦急難熬中一天天流逝。

偏偏在這個時候，我負責的一項專案研究因為頻頻出錯而被取消，公私兩挫，心力交瘁使我萬念俱灰，不再奢望什麼，只有午夜夢迴禁不住想起那纏綿旖旎而心跳加速，但時間是鬆弛劑，再重大的事，日久也會變淡變小，遐思也就飄渺遠颺，隨風而逝。

然而路並未斷絕，只是在山壁前轉了個彎，就像這事還沒結束。造物者玩笑沒開夠，在我對這事幾乎死了心的時候，又來捉弄我！

今年的同學會出席者特別多，因為定居美國從不跟同學往來的鄭偉，這次破天荒要來參加，大家都議論紛紛的談著他。

「他命好，娶了富家女，省了二十年奮鬥。」

「靠裙帶得到財富名位，有什麼好炫耀！」

「至少有閃亮頭銜和優渥生活。」

「畢竟寄人籬下看人臉色，怕人背後指點，又怕人攀附沾光。」

「難怪不跟同學往來，這次又為什麼主動聯絡？」

「我就是想知道才來的，聽說他太太也要來，我想看看這位富二代、財團繼承人是怎麼個長相！」

「你是酸葡萄心理，巴不得她醜陋癡肥、驕縱跋扈是不是？可惜會令你失望到想撞牆，聽說她才德財貌四者兼備！」

「喔，是嗎？人生際遇為何那麼懸殊呢！」

「不過他們膝下猶虛，聽說富豪老爸催得緊，逼得他們到處求醫。」

「還好不是十全十美，否則我真要去跳樓了！」

「誰要跳樓啊？」鄭偉出現在門口，神采煥發，接下同學們的話。

「鄭偉！」大家興奮的歡呼，紛紛迎上前去握手，甚至擁抱。

「夏耘！」我卻因為鄭偉身旁的女人而驚叫。

我的聲音被熱情亢奮歡騰嘈雜的氣氛淹沒，沒有人注意到我的異樣，包括夏耘！她看了我一眼，雖然只看一眼就轉頭往別處看，但我百分之百確定她看到我了，只是，她那眼神卻像見到陌生人，彷彿我們從來不曾相識！可是儘管明亮的鵝黃套裝窄裙、烏黑光潔一絲不亂的髮髻使她顯得精明幹練，和之前的飄逸浪漫、柔婉嬌媚簡直判若兩人，我仍然肯定她就是夏耘！

「各位，容我介紹我的內人太座殷格麗。」大家熱烈鼓掌之後，鄭偉開始向他太太介紹同學：

「這是劉文忠，這是吳宇超，這是……」

「這是孟迪。」介紹到我的時候，夏耘，不，殷格麗如同剛才她對每位同學所作的一樣，恰如其分的微笑，優雅的頷首。

我抓住機會說：

「鄭太太美麗大方人如其名，有如歐洲貴族的典雅尊榮，中文芳名想必更超凡脫俗，可否請教？」

「謝謝讚美，不過我娘家姓殷，我一向只有這個中英文通用的名字。」她淺笑回答，嘴角有一抹促狹的得意。

「鄭偉，這次怎麼有空回國？」同學的問話打斷了我繼續追問。

「託祖宗保佑，去年太座為我們鄭家生了個兒子，今年專程回來祭祖謝恩。」鄭偉志得意滿的把「為我們鄭家」說得特別清楚，他一定知道大家背後都說他是入贅吃軟飯的。

不過有些人即使背後酸溜溜的取笑，當著面卻還是奉承巴結：

「生了兒子？那你豈不是人生無憾、十全十美了！」

「太座和我可是盼了十年才如願哪！長輩都說家中添丁要隆重祭祖，我不敢免俗啊。」

「想不到賢伉儷久居海外還如此維護傳統文化！」

「傳統的東西有許多神秘奧妙之處，有時候不由得你不信哪！」

「哦？比如說……？」有人好奇的問。

「就說這件吧！格麗流產多次，看膩了西醫，依長輩之意回台灣求子安胎，竟然真的有效！所以說，有時候那些奇門遁甲、風水靈異的事情，連科學家也無法解釋呢！」

「是啊！我就常勸人不要不信邪！」有人附和的說。

「格麗本來也不以為然，抱著來台度假的心姑且一試，隨著我母親這裡祈求那裡許願的，想不到真讓她給求到了。所以趁孩子週歲回來祭祖之便，由我作東，請大家分享我的快樂！」鄭偉和殷格麗一起舉杯敬酒。

週歲？！我靈光一現，若有所悟，急忙向她求證：

「請問鄭太太回國是在前年夏天嗎？」

我屏息以待，她卻好整以暇，悠哉的欣賞我的急切。我再問：「是前年夏天嗎？」

「你為什麼如此在乎呢？」她微笑反問。

「那個夏天讓我畢生難忘，因為我失去我的心……」我發現大家驚異的看著我，趕緊改口：「我的一個重要研究計畫被撤銷。」

「啊！原來如此！」鄭偉向妻子解釋：「格麗，妳有所不知，孟迪一向把課本當妻子，把研究工作當兒子，也就是說我們得到兒子那一年，他失去兒子，有點巧，所以他在乎！」鄭偉自以為是的向妻子解釋。

同學們一陣哄堂大笑，繼續捉對或成群談著政治經濟事業家庭等問題，被糗得臉頰發熱的我像隻棄狗，無人聞問悶坐一隅。

與佳人睽違兩年恍如隔世，近在咫尺卻彷彿遠在天邊，感覺親密又陌生，思緒時而紛擾時而停頓，與夏耘邂逅之後的情景，一幕幕如同走馬燈在腦海裡轉個不停。

鬱悶中，忽聞一陣紫羅蘭香氣飄近，猛一抬頭，夏耘正站在眼前。一股衝動想擁她入懷，身子卻僵直得無法動彈，只能愣愣的看著她輕啓朱唇：

「抱歉，想與你分享快樂，卻勾起你的痛苦回憶。」

這句話激怒了我，血液直衝腦門，如果不是眾目睽睽，我真想狠很的揍她一頓。我深深的吸氣強制壓抑怒氣，怒氣被壓抑了，委屈卻升上來了，但是誰能明瞭，我洩氣又無奈的說：

「快樂只是短到不能再短的夢，痛苦則留在現實裡長長久久。」

「短暫才珍貴，就像從千萬朵鮮花萃取一滴香精，投注多少心力，才有一次成功的演出！你不能否認那次演出很精采吧？」

「哼！簡直完美無瑕！但妳不覺得太委屈嗎？咖哩既非妳所愛；憂鬱的紫也不如明亮的黃那麼適合妳！我枯燥乏味的絮絮叨叨妳聽來多麼繁瑣幼稚！是什麼理由強迫妳去假裝喜歡那些可笑的事物？」

「可笑的是我和鄭偉的基因竟然沒理由的異常接近，以至於精卵相斥，始終無法成功的懷孕，我又不願意由醫師分配一個精子給我！」

「啊！啊！」她的坦白與直接驚嚇了我：「怎麼會有這種事？」我花了好幾秒來理解，明白的那一剎，伴隨產生了一股悲悽，不清楚是為了誰，原先的憤怒瞬間化作愧疚，囓咬我的心。她的心彷彿也被觸痛了，卻調皮的抿著唇眨眨眼裝作不在乎，我知道，抿唇是用力在克制情緒，眨眼則是想掩飾眼中的濕潤。她在練達高雅中不經意流露出的脆弱無助是那麼動人，我忍不住興起了憐惜之心。

「為什麼是我？」久久，我才抱著一絲綺念和遐想問她。

她很快把表情調整回到精明幹練，然後討論商品交易似的明斷果決的回答我：

「血型、體格、家族、品行、智商！」

「就這樣？沒別的？那浪漫的紫呢？」我覺得好失望。

「消失了，你知道的，在取回西裝那一刻就該明白！」

「所以，連再見都沒說……」微渺的綺念和遐想漸漸褪去，開始萌生受騙上當被利用的不悅，於是我不甘心的說：「潑灑在我衣服上的紫，是消失了。但播撒在妳體內的子卻茁壯了，我們已經是密不可分的關係了，DNA 比對可以證明！」

「張三李四，隨便哪一個『不相干』的人都可以要求我的兒子讓他作 DNA 比對嗎？算了吧！戲落幕了，佈景拆了，觀眾演員都散去了，你還想怎樣呢？我的紫，讓你去回味，你的子，讓我來呵護，這樣就夠了！」她似乎知道我曾經作過尋訪調查，也知道我問不出結果來。

「即使你買通司機、管理員、洋人住戶、洗衣店老闆員工，配合妳來演戲，即使他們為了錢抵死不承認我說的，總有一天我要他們說實話，證明我不是『不相干』的人！」我恨恨的宣示。

「噗哧！」她忽然忍俊不住笑了起來：「你冤枉他們了！司機滿街都是，隨叫隨到，載過多少客人，誰記得住你呀；管理員也不是金頭腦，記得所有進出的人，那期間洋人回美國探親，怎麼知道這裡發生什麼事？至於洗衣店，我並沒有把你的西裝送洗，你何必對洗衣店老闆苦苦相逼呢？」

「這些人都不知情？我真的徹底敗了嗎？我不信！如果西裝沒送洗，那一大片的紫斑呢！」

「我把西裝拿到外面，它就自動褪色，因為那只是玩具店賣的整人染料！」

天哪！自動褪色的整人染料！我真的被整得頭昏腦脹，覺得天旋地轉，趕緊閉上眼，免得被旋出去。

回覆意識時，大家正眾星拱月的簇擁著夏耘，不，簇擁著殷格麗，說要找個好位置合拍照片。那是一定要的啦！才德兼備又財貌雙全，攀附一下，說不定可以沾一點財氣，再不然也可以拿著照片到處炫耀啊！

一票人有說有笑的，歡樂聲響迴蕩在五星飯店的豪華貴賓廳裡，沒有人發現我正摘下紫色眼鏡，用紫色手帕，拭去紫色的淚和紫色的夢。

84年9月7日 新生副刊

人格者之怒

邱天白校長只上了兩年日據時代的小學，啊咿嗚欸喔都還沒有學出名堂，台灣就光復，他也改學ㄅㄆㄇㄈ了，可是，殘留在家族和社區中的日本文化仍然一直影響著他，使他對於「人格者」的崇拜始終未曾稍減。

「人格者」是日文漢字，指的是情操完美的人，人格者不一定有錢，但一定有名望。

小時候邱天白所住的小鎮上，就有一位小學校長陳文奎是眾所公認的人格者，陳校長不苟言笑，不輕意發怒，能讓他高興的，一定是福國利民的事；如果他發怒，那一定是為了要匡正時弊。換言之，他的喜怒哀樂都不是為了一己之私，人們一談到他，便豎起大拇指稱讚；看到他經過，便以欽佩榮幸的笑臉鞠躬相迎；再以仰慕讚嘆的眼光目送。

邱天白對陳文奎校長心嚮往之，也立志成為人格者，長大後很自然地踏入教育界，從擔任教師、主任，以至校長。幾十年來，念茲在茲，循著陳校長立下的楷模，努力不懈的朝目標邁進。

皇天不負苦心人，他做到了！現在，年輕人都說他「零缺點」，老一輩的人則稱他為「人格者」！

萬萬沒想到他一貫堅持的信念，竟然輕易的被一位女子顛覆了，幾十年的修為和一世英名差一點毀於一旦。

自從余欣來到這個學校擔任自然科老師，邱天白校長一向平靜的心海，就像被巨石投入而揚起大波浪，又如同塵封已久的琴蓋被掀開來，以為鏽蝕了的琴弦，重新被撩撥撞擊，身體竟然如同最佳共鳴箱似的振動不已！

邱天白校長對於自己的失常，感到非常震驚。美女不是沒見過，主動投懷送抱的也有，他都不動心。

余欣老師，身材皮膚臉蛋只是看起來還不錯而已！在全校女老師中有一大半比她漂亮。而她的衣著，式樣呆板；她的打扮，樸素單調；她的表情，冷漠無趣……。

唉！沒用，即使努力找出余欣的毛病，盡量苛刻挑剔，邱天白校長也無法否認自己已經被她深深地吸引！他越來越強烈的思念她，明知自己已有家室，她也羅敷有夫，不該再有任何妄念，更何況，他是人格者！但是，他還是無法忘情，她的一顰一笑早就把他的腦海填得滿溢，時不時的浮上心頭，擾亂他的思緒。

他很生氣，人格者怎麼能夠如此經不起考驗呢！幸虧他知道他沒資格表露，也顧慮到萬一露出好感而被嘲笑、被說閒話，一定有損形象，所以努力壓抑著情緒，按兵不動，只有在開教職員晨會的時候，偷偷地欣賞她悠然的冷漠；在升旗典禮的時候，遙望著她優雅的靜立；在巡堂經過她的自然專科教室的時候，假裝坦然盡職的直視前方，其實用眼角餘光瞄著她的舉手投足……。

邱校長總是趁人不注意的時候捕捉余老師的一舉一動。還好，他以校長的身分，到處走走看看，還不至於引起懷疑，而且他平日又喜怒不形於色，無論他的內心多麼激動，外表總能保持一貫的道貌岸然，所以他的這份戀慕可以輕易隱藏得不露痕跡。

但是，當疑心和嫉妒蒙蔽了理智，戒心會鬆懈而做出衝動的事情。

最近，沉默內向的園藝工友阿宏，常常在自然專科教室前流連，別人看起來，他像是在整理走廊上的花台。然而，邱校長卻非常強烈的感覺到不尋常，阿宏根本是藉機在余欣老師的身邊遊魂似的飄蕩。有好幾次邱校長巡視到位於三樓樓梯旁的自然專科教室，阿宏會突然悄沒聲息的從轉角冒出來對他說：

「校長好！」

「好！」邱校長口裡回答，心中卻嘀咕著：鬼鬼祟祟幹什麼！

他恨阿宏，不是因為阿宏不該喜歡余老師，而是因為阿宏就像一面鏡子，映照出一個單戀者不自知的狼狽，而他，不想跟猥瑣的小人物同病相憐！

有一天，巡視到這裏正好下課，余老師走出教室，阿宏也在，邱校長逮到機會，故意在阿宏面前，對余欣老師說：

「余老師，妳自然教室的花台特別漂亮喔！」

癩蛤蟆的非份之想被揭穿之後，阿宏難堪得臉都紅了。

「是嗎？我不覺得呢！」余欣老師輕描淡寫的說。

邱校長認為余老師的神經線不知道是特別細，還是特別粗？她是瞭然於心而企圖為阿宏解危？還是真的一無所覺？邱校長彷彿踢到鐵板，識趣的閉上嘴，以免引起不必要的聯想，畢竟人格者的名號得來不易，怎麼能夠因為爭風吃醋而毀棄呢！多年來忍受苦行僧一般的禁絕享樂，何妨再忍一忍？反正，如他所願的，阿宏的心思已經被揭穿而受到警告了。

只是，邱校長萬萬沒想到，當他還陶醉在巧計成功，阿宏不敢再像蒼蠅一般纏著余老師的時候，阿宏竟然化明為暗做出更齷齪的事。

那天黃昏，邱校長和總務主任要去頂樓查看重新整修的水塔。走到半路，總務主任要折回一樓拿關於整修的相關資料，邱校長就獨自先上樓。

走到三樓樓梯間，邱校長突然被磁力吸引似的，沒有直接繼續上四樓，不自覺轉向三樓走廊最邊間的自然教室。在落日餘暉中，隔著毛玻璃窗，他發現裡面有人影晃動，空寂中還透出聲響。

平日裡為了安全考量和校園秩序維護，放學後，除非是經過報備的特殊原因，一般來說，學校是不鼓勵學生逗留在空蕩蕩的教室，尤其是人跡罕至的專科教室！

那麼，是有人想拿試管燒杯？取化學原料？吸安非他命？製造爆裂物？邱校長的危機意識油然而生，強烈的使命感催促他快速上前，推門一看，是阿宏！

「是你呀！」邱校長放了心，但感到意外，不知道阿宏為什麼要坐在余老師座位椅子上。

阿宏沒有回答，只顧慌亂的忙著收拾整理，像是要掩飾什麼似的。這反倒使得邱校長起了疑心，更向前走近才要發問，阿宏猛然站起來拉上鬆開的褲頭，來不及扣緊，雙手抓住腰帶，倉皇奔逃，奪門而出，邱校長一頭霧水愣在原地好一陣子。

可是當他看見桌上玻璃墊下，壓著余欣老師一張長髮隨風飄揚、雙眸含情、巧笑倩兮的放大照片，地上有擦拭過的衛生紙團，再回想到他剛剛進來那一剎那，所瞧見的阿宏那副獸慾得逞後的滿足表情，他的血液立刻沸騰起來，忍不住大聲的吼叫：

「卑鄙！齷齪！下流！可恥！」

「校長！您怎麼了？」取了資料正好來到三樓的總務主任聞聲趕來自然教室。

「阿宏，他，他——。」邱校長指著門外。

「您要找阿宏嗎？我看見他很急的衝下樓去了！」

邱校長憤然用力搥擊桌子，「砰」的一聲，桌上的玻璃墊碎了，鮮紅的血，以拳頭為中心，順著破碎的玻璃裂痕滲流，把總務主任嚇了一跳。

白天的喧鬧隨著學生放學而流洩出去，幾位行政人員，正利用這段不受干擾的安靜時間處理行政資料及公文。

黃昏的校園，寂靜空曠，相對的凸顯了剛才的一陣騷動。幾位主任很快的趕赴聲響來源的現場。

「哎呀！校長受傷了！」有人大喊。

總務主任見校長還在盛怒中，雖然心中有著詫異與疑團，卻深深覺得此事大有蹊蹺，目前不宜將事態擴大，便暗自決定先壓下大家的關心與好奇，一面說：

「沒什麼，校長只是一點小傷，沒什麼。還有，這玻璃我會立刻處理。大家……都去忙吧！」一面力勸、硬拉的，把邱校長帶去保健室敷藥，大家也不再多問，帶著狐疑回到各自工作崗位。

當天晚上，邱校長輾轉反側無法入眠，為自己的輕易動怒而懊惱不已。以他數十年的修為，早已練就刀槍不入、百毒不侵、泰山崩於前而面不改色的金剛不壞之身，這次竟然如此脆弱易怒，這將讓同仁們留下怎樣的印象呢！

即使被稍微質疑，他都不容許，何況這件事有可能使他一世英名毀於一旦！所以這件事必須處理，而且要快！若是放任同仁們私下談論傳播，繪聲繪影加上扭曲渲染，產生蝴蝶效應、引起軒然大波，讓星星之火燎原，再要來收拾就晚了。

但是，經過連夜思考之後，邱校長仍然沒有解套方案，直到第二天早上到了學校，他還在思考如何因應。

極力壓抑內心澎湃，擺出安詳中透出一絲威嚴表情的邱校長，正端坐辦公桌前繼續苦思對策的時候，忽然瞥見校長室門外有人鬼鬼祟祟的探頭探腦。

「是誰？」邱校長正氣凜然的發問。

阿宏雙手交握，垂放在小腹前，低著頭，縮著肩，趔趔趄趄，斜滑著小碎步，走了進來。

「阿宏，你怎麼這麼早就到學校來！有事嗎？」

「校長，我……我……我錯了！請校長原諒我。」

「你做了什麼？為什麼這麼做？」

「我太喜歡余老師了……」

「你有對余老師說過你喜歡她嗎？」

「那怎麼可能！條件差那麼多，說出來不被打死也被罵死！」

「所以她並不知道你喜歡她？」

「偷偷喜歡她已經很罪過了，如果讓她知道，就算她再怎麼菩薩心、天使心，不打不罵，也不可能再對我微笑關心了！這只是我個人的秘密，我……」

「所以你就把她當成色情圖片上的女人，對著她的照片做——」

「對不起，對不起，對不起……」阿宏忙不迭的鞠躬道歉。

「你是從什麼時候開始…嗯，開始那麼做的？做了幾次？」

「上個月余老師把照片放進玻璃墊下，才開始的，到昨天，才，第三次……」

阿宏低聲囁嚅著。

「才，第三次？」邱校長不自覺提高聲量，發現自己又激動起來，趕緊深呼吸來鎮定自己：「你的意思是，只有三次，太少了，要常常去做？還是說，只有三次，我不應該對你發脾氣？」

「不，校長發脾氣是應該的，都是我的錯，請校長原諒！」

「你提出辭呈吧！」校長平靜地說。

阿宏一聽，立即跪下，眼眶泛紅，急急的說：

「校長！請你原諒我，不要叫我辭職，我不能沒有這份工作！」

「趕快起來！現在漸漸有人上學上班了，不要讓人看見你這個樣子！」校長起立，繞過辦公桌，彎腰拉起阿宏，拍拍阿宏的肩，平靜地對阿宏說：「如果可以，在合情合理合法的情況下，我一定會幫你的。但是，昨天，許多同仁都看見了，不能讓他們說我把這件事私了了，我做事一向秉持公平、公正、公開的原則，所以我必須請主任們來開會討論。你呢，為了表示你認錯悔過的誠意和勇氣，你就先寫一份辭呈，看看主任們討論的結果再做決定吧！」

阿宏無奈地，垂頭喪氣地走出校長室。

阿宏提出辭呈，邱校長召集了幾位主任到會議室。在說明了召開緊急會議的目的之後，邱校長站起來離開座位。會議室有兩道門，一道室內小門直通校長室，邱校長並沒有走向小門，而是往大門走去，走到大門邊，特地回頭交代：

「等阿宏過來，你們先聽阿宏怎麼說，我出去，免得他尷尬，也好讓你們充分討論。」

阿宏來了，總務主任先詢問事情的原委，阿宏說：

「拜託你們不要讓余老師知道！」得到主任們的承諾，阿宏才結結巴巴地說出事件的始末。

「不就是打手槍嗎？這種事情，是男人都會做吧？」訓導主任可能因為年輕，沒有那麼多傳統文化的包袱，思想比較開放，所以說話的語氣透著幾分不以為然，覺得幾位前輩似乎太大驚小怪、小題大作了。

公關手段一流，處事圓融的總務主任，是阿宏的直屬長官，當然要掌握話語權，所以趕緊說：

「早期有些基督教派認為自慰是不當的性幻想與不潔的思想，會傷害精神道德，是可憎的、醜陋的！而佛教五戒裡的不邪淫，就包括不可自慰，認為貪戀自身的淫慾會讓人墮落，招致苦果。不過，現在這種觀念已經不復存在了。」

外表斯文，行事風格中規中矩的教務主任，也不甘落後的展現學問：

「許多醫療研究認為，私下的自慰是健康正常的，從心理學角度而言，適度的自慰可以釋放過度壓抑的情緒及性衝動，降低犯罪的可能性。當然，那必須是適度的。」

「公開自慰在現今大多數的國家是屬於違法行為。」一直保持沈默的輔導主任很專業、很客觀的說。

對事情總是樂觀看待，對人格者並不像前輩們那麼有概念的年輕訓導主任，聽了一堆關於自慰的長篇大論，還是覺得「打手槍」並不是十惡不赦的大罪過。他說：

「公開自慰是違法行為，但是，阿宏在放學後的空教室打手槍並沒有要公開的意圖啊，既然被撞見了，就應該隨機給他來點法治教育，告誡他不可再犯，否則會演變成猥褻、妨害風化、危害善良風俗等等違法行為。校長的作風，向來對學生晚輩下屬們有教無類、諄諄教誨，對學生的頑劣行為也都很有耐心的循循善誘。我不懂，這次校長對阿宏為什麼發這麼大的脾氣！」

「是我不對，讓校長這麼生氣……」阿宏沮喪又慚愧。

「是啊，我沒看過校長發這麼大的脾氣呢！幸虧阿宏跑得快，否則不知道會怎樣呢！」總務主任附和阿宏的話，悲觀的認為校長會對阿宏開鍘。

「不對呀！校長平日雖然嚴格，卻很有修養，很能體諒部屬的！」教務主任昨天趕到現場的時間稍遲，只參與了後半段，平日很崇拜校長的他，不相信校長會為了這事情大發雷霆。

「一怒而諸侯懼」，主任們雖然被找來開會討論阿宏的行為與懲處，看起來像是很民主，可是，主任們總不能不理會校長的心情吧！所以自慰行為、公開與否的討論已經淪為次要。大家更在乎的、話題一直圍繞的，反而是邱校長的情緒和心意。

總務主任以第一目擊者的優越感，很權威的發言：「所以才奇怪呀！你們沒看到當時他的樣子就像……嗯，就像他的親人被強暴了！」總務主任舉例形容。

──情人被強暴！──情人被強暴！──情人被強暴！

邱校長說了他要避開，就從大門出去，沒有像往常一樣從室內小門回到相毗連的校長室。這讓所有人直覺他不只是離開會議室，也離開校長室，極可能去巡視校園了。其實他只是捨棄相通的小門，多走幾步路，從外面再進入隔壁校長室。

他專注的傾聽會議室裡的動靜，也許是一道牆的阻隔，或者是憂心加疑心而影響判斷，使他誤把總務主任說的「親人」聽成了「情人」，暗暗的叫聲：完了！完了！他最怕的事情來了！昨天到現在，他一直懊惱的，就是怕自己反應過度的「動怒」，會被窺透而牽引出他的心思！現在果然被懷疑了！被看穿了！自己一向保護得很好的私密情慾曝光了！

——什麼人格者！不過是和工友單戀同一個女人的可憐蟲！

——一個暴躁善妒的可憐蟲，有何面目為人師表作育英才？

他彷彿聽到、看到譴責與抗議正鋪天蓋地的襲來。

不過，正當他懊惱得想撞牆時，忽然聽到有如來自天堂的福音——教務主任說了：

「這就對了！邱校長是把同仁當家人，余老師就像他的女兒，阿宏的行為就像在強暴他的親人，所以他才會那麼生氣！」

邱校長鬆了一口氣，暗叫一聲：得救了！可是只高興幾秒鐘，就又聽到讓他心臟快要跳出來的話，訓導主任這個嘴上無毛辦事不牢的小伙子說：

「哈！親人被強暴？什麼跟什麼嘛！這種事……跟性幻想的對象是誰，沒什麼關係吧？」

「怎麼會沒有關係呢？」不多話，卻對心理學研究很有興趣的輔導主任，以帶有深意的眼光似笑非笑的看著訓導主任。

訓導主任性急的反問：

「那麼，難道說，如果阿宏對著瑪麗蓮夢露的照片自慰，校長就不會生氣嗎？」

總務主任說：

「噢！如果這樣，校長會不會也這麼生氣，這，這就不知道了！沒發生的事，誰也無法斷定！」

輔導主任又搬出他的專業說：

「每一個行為背後都隱藏著神奇的心理奧秘。那些你不解的行為，心理學家都有答案。」

「哪來那麼多名堂，你們不要亂想，校長是坦坦蕩蕩的正人君子！」教務主任不想把事件延伸成學術討論。

「可是他不能苛求大家都是聖人吧？阿宏是一個男人，又是初犯，值得原諒啊！」訓導主任提出建議。

「阿宏本來就是罪不致死啊！搞成這樣……」輔導主任口氣中帶著「這個

會議有點多餘」的批判味道，似乎暗諷校長別有用心。

教務主任對輔導主任隱晦的話中有話，不知道是故意裝迷糊，還是真的聽不出，只是選取了他想要的重點，說：

「是啊，罪不致死嘛，以校長寬大為懷的作風，應該是會原諒阿宏的！」

「那麼，我們算是達成共識了。」總務主任說。

人格者應該不屑於竊聽，也應該避免讓人懷疑，所以邱校長不走相通的室內小門，再一次捨近求遠，繞個圈子，從外面走廊回到會議室，沒有人發現他剛才還近在咫尺。

「校長，阿宏知道錯了，也願意悔改，我們一致認為應該再給他一次機會。」總務主任說。

邱校長接過總務主任遞來阿宏的辭呈，二話不說，立即撕掉。

見到阿宏慚愧驚惶，邱校長上前拍拍他的肩膀說：「人非聖賢！能改就好！即使……」——即使是人格者也一樣，校長想這麼說——「雖然，我非常的生氣，但是，我也絕對不是無情的人，我會顧慮到你的生活，以及你是初犯，這一點你可以放心。」

邱校長說得十分誠懇，彷彿在告訴自己，即使被公認是人格者，也非聖賢。

他接著又叮嚀大家：

「為了減少傷害，這件事情就到此為止，以後絕對不可以再提起了！」

「謝謝校長！」阿宏眼眶又紅了。

在欽佩仰慕的眼光目送下，邱校長這次，如同往常大多時候，從室內小門走回校長室。背後傳來教務主任忍不住讚嘆的聲音：

「真不愧是人格者！」

85年10月5日　台灣新生報新生副刊

有力的電話

天黑了，歸心似箭的趙玲擔心放學後單獨在家的兒子，一心只顧加速，沒料到前車突然減速，幸好她反應夠快，急踩煞車，才沒撞上，嚇得她一路提醒自己不可以再分心。

回到家把新買的玩具交給兒子小明去玩，趙玲也趕緊去準備晚餐。不久，丈夫羅文也回到家。

「公車上擠，道路上塞，唉，台北的交通什麼時候才能讓人滿意！」

「我看，車子你開去上班吧！」趙玲心疼丈夫，主動建議。

「那倒不必，我上下班每天固定兩趟，妳推銷產品必須到處跑，更需要自己開車。」羅文體貼的說。

「我的時間不受限制，不像你們公司那麼嚴格。」

「早點出門就是了，車子妳儘管用吧！」羅文說著，也來到廚房幫忙。

「那我就不客氣囉！今天哪——」趙玲像以往一樣，一邊忙著作晚餐，一邊和丈夫交換當天的工作心得：「——有位客人，試用了我所有產品，問了我所有問題，之後，下結論說推銷員的話絕對不能相信。你說，氣不氣人！」

「推銷任何產品都不是簡單的事，被拒絕、遭白眼，甚至受到侮辱怒罵，都不意外，如果受不了，就不要再勉強去做，我不希望妳太委屈太辛苦。」

「還好啦，都是為了這個家嘛，趁著年輕多賺點錢，以後才能輕鬆。」

「鈴——」電話鈴聲打斷了夫妻兩人的談話，羅文去接聽，是按錯鍵的電話，對方道過歉就掛斷，小明卻因為這個電話鈴聲，跑出房間，說：

「剛剛你們還沒有回來的時候，有一個人打電話來。」

「誰打來的？」羅文問。

「不知道。」

「是男的，還是女的？」趙玲也加入提問。

「好像是男的，又好像是女的。」

「你沒問他是誰？」

「有哇！他說他是有力。」

「有力是誰？有力——」羅文唸著唸著，忽然低呼：「啊！」

「想到了嗎？是誰？」趙玲問。

「是——」羅文才開口就停住——是當兵時認識的餐廳服務生江百合，大家都叫她日本名字尤莉。「百合」的日本發音和「有力」當然有一些差距，但是如果江百合想要讓小孩子聽得懂、記得住，擅自把它以臺灣國語來發音，以至於小明聽成「有力」，這是可能的。尤莉當時曾對他表達過愛意，兩人也利用他退伍前的短暫期間交往過，退伍後他就刻意疏遠了，這件事，愛吃醋的趙玲是不知道的，當然現在也沒必要說出來。

「是誰？快講啊！」趙玲催促著。

「我是想問小明，那個人是要找誰？」羅文避開妻子，轉向兒子：「他是說要找爸爸，還是找媽媽？」

「他問爸爸媽媽在家嗎，應該是找你們兩個人吧！」

羅文和趙玲面面相覷了一會兒，羅文忽然提高音量，故作瀟灑，開朗的說：「我沒有這樣的朋友，可能是找妳的！」

「找我？」這下輪到趙玲頭痛了：「有力？會不會……」趙玲想到曾經跟她交往過的大學同學林酉立，可是她怕說出來羅文聽了會反應過度，徒然招來不必要的誤會，所以緊急煞車，不說了。不過，這反倒引起羅文的疑心而追問道：

「會不會是誰？妳想到了？」

「會不會是電話跳號或打錯了？像剛才你接的那通電話，不就是打錯了！」趙玲慌亂的找理由搪塞，意圖結束這場危險的討論。

「不會不會，他不會打錯！」小明忽然堅毅的否定了趙玲的猜測。

「啊？」趙玲和羅文不約而同發出小小的驚呼：「你怎麼知道他不會打錯？」

「因為他說他終於找到了！他還說他明天晚上要來，請大人在家等他。」

小明把剛剛獨自在家接到電話的情形清楚轉達完畢，如釋重負的跑回房裡去玩。

「她說她終於找到了！」羅文的慌亂溢於言表。

「他說他明天晚上要來，請大人在家等他！」趙玲也忍不住一股無名火。

這太可怕了！那個人一定有強烈企圖才會苦苦追尋，才會說出「終於找到了」這樣的話，什麼企圖呢？羅文和趙玲一邊防衛自己，一邊懷疑另一半，在詭譎的靜默中對峙片刻，羅文才說：

「反正明天就可以弄明白了！」

「是啊，吃飯吧！」趙玲也裝出若無其事的樣子。

兩人外表看似不在乎，其實心中暗潮洶湧。在各有所思中，食不知味的結束晚餐。心神不定的羅文，還碰翻了菜盤，碎片和菜汁灑了一地；才收拾好，在廚房切水果的趙玲又揑著淌血的手指衝出來求救，幾經折騰，兩人連每天必看的連續劇也無心觀賞，早早的以疲累為由上床睡覺。

羅文輾轉反側，好不容易闔上眼皮，就覺得有人擠上床往他懷裡鑽，他正奇怪，趙玲一向不是這種作風，仔細一看，不禁驚叫：

「尤莉——江百合！妳這是幹什麼！」

「羅文，我找你找得好苦哦，現在終於找到了！」尤莉抱住羅文，悠悠地說。

羅文想擺脫，尤莉卻越纏越緊，猛一抬頭，發現趙玲已經來到床前，瞪視丈夫抱著別的女人，怒不可遏的說：

「羅文，你太過分了！」說完轉身就走。

「趙玲，妳聽我說——」羅文想去追妻子，用力推開尤莉，忽然驚醒。

原來剛才只是一場夢，卻已經把羅文嚇出一身汗。當年他和尤莉雖然一度關係親密，可是尤莉曾說她明白兩人條件懸殊，難有結局，對他只是無悔的付出，並不奢求其他，還帶著文藝氣息的說了當時很流行的一句話：「只在乎擁有，不在乎天長地久」，因此，當時羅文也是在沒有責任負擔的心情下與尤莉交往，如果有人罵他對待尤莉是逢場做戲，他也無話可說。隨著他退伍，忙著整頓心情準備就業，開始投入新的交際圈，尤莉也在新一批部隊兵員進駐後，展開新的人際關係，於是，兩人音訊漸疏，終於往事成煙……

如今，十多年過去了，尤莉怎麼想到要來找他呢？怎麼查到他現在的電話呢？怎麼急到明天晚上就要來找他呢？想要續前緣？想要炫耀？想要求助？想要敲詐勒索？羅文有一大堆疑問要解，卻苦於「有力的電話」並沒有留下連絡方式，糟的是，明天晚上很快就到了，該如何是好？

黑暗中，羅文煩惱到不自覺的捶著床，這才發現趙玲不在床上。他走出房間，看見趙玲正在書房翻閱著什麼。

「趙玲，妳在做什麼？怎麼不睡？」

趙玲嚇了一跳，急急的收拾東西，慌亂的說：

「我，我來查一下明天要去拜訪的客户路線，這就……去睡了。」

夫妻倆各懷心事，同床異夢的熬到天亮。

清晨，趙玲弄妥一切，催著小明：

「快把牛奶喝了，三明治帶到車上吃！」

小明仍然慢吞吞，羅文卻急急的走來說：

「剛剛想起來，今天要去看工地，車子可不可以讓我用一天？小明由我送他上學！」

趙玲愣住了，羅文怎麼能在她最需要車的時候來跟她搶車子呢？昨天她要讓他用，他還溫柔體貼的叫她儘管用！莫非因為「有力的電話」而對她起疑心，故意杯葛她？或是他自己想去做什麼？趙玲滿心不悅，但是，說真的，羅文難得開口要用車，自己又沒辦法說出今天非用車不可的理由，只好聳聳肩交出車鑰匙。

羅文載著小明一出門，趙玲立刻取出昨晚翻出來的畢業紀念冊、記事本、備忘錄，開始電話查訪，試圖找到林西立的消息，然而，相關的電話，不是佔線、空號、沒人接，就是原號碼已經換主人，果真是快速變化的時代，十幾年前的舊資料已不堪使用！少數接通電話的同學，也跟她一樣沒有林西立的消息。畢業多年，一向不聯絡，厚著臉皮打電話已經夠尷尬，卻一無所獲，這讓趙玲越打越手軟。就在沮喪得幾乎絕望時，她把剛才無人接聽的好同學電話，再撥打一次，果然有用，好同學卜玉的話帶給她一線希望。

「趙玲，妳找林西立是想重溫舊夢嗎？」

「我有急事，必須找到他，現在沒心情想別的。」

「哦。」卜玉一聽趙玲口氣，也嚴肅起來：「幾年前他開公司時還有聯絡，公司垮了之後就沒消息了，驕傲自負的他，絕對不肯讓同學看見狼狽相的，所以要找他並不容易，也許人在國外，聽說他哥哥在美國生意做得不錯。」

「不，昨天我兒子接到他的電話，說他今天晚上要來我家。」

「既然這樣，妳今晚就能見到他了，幹嘛還找他？想他想瘋啦？」

「不是啦，當年我離開他時，他很不甘心，恨恨的說絕對不會就此放棄，一定會來找我。我丈夫羅文是個死腦筋，如果林酉立找到我家來……我真不敢想像會是個什麼場面，現在急著找他，是想阻止他，卻不知怎麼聯絡！」

「原來如此，這樣我倒有個建議，去找徵信社！雖然要花點錢，不過能消災保平安最重要！」

花錢保障幸福是值得的，趙玲聽從好同學卜玉的建議，很快的找到一家標榜「快速專門」的徵信社。

向社長說明來意後，狡黠的社長沉吟著：

「找人是沒問題，可是這麼急……」

「千萬拜託，我願意多付一些費用。」趙玲鐵了心，咬牙作出決定。

「好吧！」社長取出合約：「以特急件處理，先付一半費用，請在這裡簽字。」

簽約付錢後，趙玲埋頭填寫查尋對象的資料，只聽社長對一位自外面走進來的幹部說：

「麥克，辛苦啦，這一件特急件還要麻煩你！」

「今天是什麼日子，都這麼急，早上那件也是特急件。」那位幹部回答。

聽到這熟悉的聲音，趙玲抬頭一看，驚得大叫：

「林西立！」

「趙玲，妳怎麼在這兒？我在這裡的名字是麥克。」林西立也十分意外：

「社長說的特急件是妳的？妳找誰，那麼急？」

「你別裝蒜了，我要找的就是你！」

「我？愛說笑，我哪值得妳重金尋找！」

社長原先被他們兩人搞得一頭霧水，拿起趙玲填好的表，笑著說：

「哈！沒錯，上面寫著要找林西立，我差點忘了那正是麥克的本名！真巧，我從業以來還沒碰過這種事呢！對了，這是妳我運氣好，不費力就完成案件，所以，妳已付的費用我不退；妳未付的費用我不收，公平吧？哈哈！」

「就照社長說的。但是，我得跟他談談！」趙玲把林西立往外拉：「你為什麼要這麼做，想破壞我的家庭嗎？」

「我怎麼會破壞妳的家庭呢？我祝妳幸福都來不及了！」

「我不信，當年我離開你的時候，你曾經放話——」

「那是失戀時的賭氣話，事後想想實在幼稚，想道歉卻找不到機會，妳怎麼會把我的氣話當真呢？」

「那你為什麼說要去我家？」

「我？我什麼時候這麼說？」林西立指著自己，不解的問。

「昨天打電話到我家，自稱西立，不是你會是誰？」

「趙大小姐，妳我的戀情已成過去，往事只能回味了，目前的我，只想匿名藏身躲債，既沒有閒情也沒有面子去找妳，懂嗎？」這時西立的手機響起，他轉過身去，和對方說了起來：「是，你的案件查到了……好……見面談！」

收了手機，林西立向趙玲告辭：

「對不起，我必須去工作了，再次聲明，我沒有打電話給妳！」

「那麼……難道昨天那通電話是要找羅文的？」

「什麼？你說什麼？」林西立忽然緊張的問。

「沒有啦，我是說昨天的電話既然不是你打的，會不會是某個人要找我丈夫。」

「妳丈夫，剛剛你說什麼羅文，他叫羅文嗎？」

「你怎麼知道？」

「天哪——」林西立拍著額頭叫道：「你們在搞什麼！妳知道嗎，剛才我接的電話，就是委託找人的客戶——羅文！」

「是他！他要你找誰？」

「一個叫江百合的女人——等等……」林西立皺著眉努力想，終於靈光出現：「百合的日本發音正是尤莉，昨天打電話到妳家的人自稱尤莉，不就是江百合嗎？」

「啊！一個叫江百合的女人找羅文，她們——」趙玲不敢再往下想，向林西立說：「我要把這件事弄清楚，你把資料給我，或者，我跟你去見羅文。」

「這怎麼可以？這牽涉到商業秘密和職業道德！」

「你提供資料給我丈夫投向那個女人的懷抱，使我家破人亡，這是你所謂的職業道德嗎？我努力捍衛婚姻和家庭，有錯嗎？」

禁不起趙玲的一再懇求，林西立也衡量了情勢，與其讓趙玲包計程車跟蹤，還不如由他作陪，到了現場若有狀況，他還可以幫忙控制。於是林西立要趙玲保證不鬧事，才讓她一起去羅文指定會面的餐廳。

到了餐廳，趙玲留在車上，林西立和羅文短暫交談並交付資料後，羅文即匆忙驅車離去，林西立和趙玲則尾隨跟蹤。

「我以為是你打電話說你要來，想盡辦法找到你、阻止你，想不到是他的舊情人找他，看他多麼心急啊！」趙玲哀怨的說。

「我覺得是妳多心了，不管他們以前怎樣，都是過去式了，現在雙方已經各自成家，不敢亂來的啦！」林西立真心勸慰這位曾經要好的女朋友。

車子來到一條巷子，林西立指著一家洗衣店說：

「偌，店裡的女人就是江百合，看見了嗎？妳丈夫正要進去呢！」

羅文不知道妻子就在店門口的車內盯著他，心無旁騖的往裡面走。

「歡迎光臨，請問是取件還是——」店裡的胖女人笑著迎出來打招呼，一時間卻怔住了，半晌，才驚呼：「啊，羅文！」

羅文不敢相信站在眼前的是當年可愛的小百合，尤莉喊他時他才發覺她臉上的確還留著昔日的輪廓和神情，不過他還是親口求證：

「妳是江百合尤莉？」

「難怪你懷疑，我胖得太離譜了啦，哦，這是我丈夫張水木。」尤莉以手勢招來丈夫，介紹道：「這是羅先生，當兵時常到我服務的餐廳照顧我們生意的客人。」

「張老闆好，我是路過，看到店名叫百合洗衣店，進來看看，果然是尤莉開的，恭喜啦。」羅文先掰了一套說辭。

張水木只是憨厚的笑著，尤莉代他回答：

「沒什麼啦，他雖然學歷不高，可是工作認真，對我很好。你結婚了嗎？在哪裡上班？」

聽起來，她似乎不清楚羅文近況，照說無從打電話給他，不過羅文還是試探的說：

「我在一家建設公司上班，結婚了，有一個兒子。你們來玩嘛，我介紹內人給你們認識。」

「謝謝啦，不過我們店裡人手少，走不開，不好意思。」

他們夫妻間流露出互信互諒的真情，讓羅文放心的道別離去。

趙玲和林酉立在車裡全程緊盯，看到三人的互動情形和動作表情，聽到的話雖然不是字字清晰可辨，但已經足夠讓他們做出判斷。

「這下妳可以放心了吧，為何還不高興？」林酉立說。

「我在想，電話到底是誰打來的？」

「我的大小姐，羅太太，折騰這麼些時辰，得趕快回家了！是誰打來的電話？晚上不就知道了！」

是啊，得趕快回家了！趙玲這麼想的同時，羅文因為自己這邊放了心，便開始擔心妻子那邊。昨晚乍聽「有力的電話」時，趙玲的臉色驟然大變，羅文認定這電話顯然與趙玲有關，半夜她又有怪異舉動，卻始終不肯透露一絲一毫，分明在保護某個非比尋常的人物或事件！

羅文如同往常固定的時刻回到家，趙玲也已經如同往常固定的時刻安頓好小明之後在廚房忙著，表面上看起來一切正常。羅文先按捺不住：

「那個人來了嗎？是找妳的吧？」

「你是說打電話來的有力嗎？還沒到，不過我想那是找你的，你那票酒肉朋友不是常常找藉口去吃喝玩樂嗎？也許不敢用真名，而以有力為代號吧！」趙玲好整以暇的說。

「同事朋友偶爾聚聚沒什麼大不了，妳整天跟三教九流的人打交道，才會有這種沒格調的朋友！」

「你以為我喜歡到處奔波嗎？也不想想憑你那份薪水買得起房子嗎？不懂感激還罵人……」

空氣中充滿火藥味，戰爭似乎一觸即發。幸好這時門鈴響了。

兩人像觸電一般定住了好幾秒，誰也無法確定門外是什麼狀況在等著。就在這僵持的幾秒鐘裡，小明活潑的跑去開門。門外一個身材魁梧扛著重物的男人，操著女性化的聲音說：

「哇！真不容易，不過終於找到了！」

「終於找到了！」羅文和趙玲異口同聲叫道。

「是啊，昨天的電話不是已經說了……」

「昨天的電話！」夫妻倆再次異口同聲叫道。

「咦？小朋友沒說嗎？我是友利裝潢啊！」

「友利！」兩人的表情一次比一次更驚訝，聲音一次比一次更高亢。

「什麼嘛！看你們嚇成這樣，你們忘記了喔！年初太太說要訂製與床罩同花色的窗簾，可是布廠關閉了，我答應去找看看哪一家店有存貨啊！現在好不容易終於找到了，難道你們不想裝了嗎？」裝潢師傅霹靂啪啦說了一堆。

「要，要，當然要！」羅文忙不迭的請他進來。

「怎麼會不要，今天，我丈夫特別認真的開車去工作呢！是不是啊？羅文！」趙玲揶揄道。

「是啊！你不來我們都不安心，半夜都睡不著呢！是不是啊？趙玲！」請假去委託徵信社找尤莉的羅文心虛卻努力反擊。

「我最講信用，說要來一定會來，房間沒窗簾就失去隱密性，當然睡不安穩嘛！」友利師傅邊施工邊說：「這料子花色好，既可以隔音遮光又很浪漫，裝了它，拉上以後，想怎樣都可以安心的做！」

友利師傅施工完畢結完帳一走，羅文便抱住妻子。

「作什麼？」趙玲扭動身體推拒。

「每次……妳都說怕外面有人聽到而憋著聲音，又怕有望遠鏡對著這裡而不肯開燈，現在友利師傅說想怎樣都可以安心的做，我等不及想試試！」

「死相！」趙玲擰了丈夫一把。

「哎喲！」羅文誇張的叫：「好痛啊！」

「爸——你怎麼了？」小明跑來關心。

「爸爸碰釘子了！」羅文沒好氣的說。

「釘子在哪裡？」小明邊問邊找。

「別找了，吃飯去吧，至於釘子，爸爸今天晚上再來好好修理她！」

羅文晲著妻子趙玲，趙玲則在浪漫的窗簾前笑彎了腰。

84年6月10—11日　新生副刊

換季大拍賣

沈若熙交了文件，離開打字行，看見一家百貨公司正在舉辦換季大拍賣，他走進去就往人最多的地方擠，她知道那兒最有便宜可撿。

買好衣服轉身往外走，一位美麗高雅的貴婦擋住她的去路，定睛一看，是多年不見的大學同學，以前很土氣的，曾幾何時，竟然由蟲蛾蛻變成為蝴蝶！她無法置信的驚叫起來：

「朱金花，是妳呀！妳也來啦！瞧妳，變得多美呀！我差點認不出來了呢！妳買好了嗎？」

「我是剛剛從國際展示廳的歐洲服裝秀上過來的！」朱金花精心修飾的臉上帶著適度合宜的微笑，經過唇筆勾勒、唇蜜上色的美麗雙唇吐出輕柔悅耳的語音。

剎那間，沈若熙猛然察覺到不同的際遇已經使她們分屬於不同的兩個世界！沈若熙突然覺得難堪，但是仍然扳想回一些面子，所以很快的故作瀟灑說：

「我也是剛好路過，聽到叫賣說買回去當抹布都划得來，覺得有趣，所以進來湊熱鬧……」

「難得相逢，外子在飯店訂了包廂，中午就一起吃飯吧！」為了解除尷尬，朱金花適時地轉換了話題。

朱金花帶著沈若熙走向一輛豪華轎車，制服筆挺的司機恭敬的打開車門，沈若熙被這氣派迷眩了，不由自主的上了車。

※　※　※　※　※

到了一家五星級飯店，沈若熙見到朱金花的丈夫──紡織界聞人蔣浩廷的時候，她有些侷促，不過蔣浩廷十分平易近人，很親切的和沈若熙交談。氣氛逐漸緩和融洽之後，當年求學時的親熱感覺回來了，開始無所不談。

沈若熙知道了朱金花在當蔣浩廷的秘書時，蔣浩廷就很欣賞朱金花認真勤勞、樸素節儉、認命踏實的負責與謙虛態度。蔣浩廷非常信賴朱金花，一直聘用朱金花，朱金花也死心塌地的為蔣浩廷工作，以至於錯過了婚期。蔣浩廷的原配夫人因病去世之後，蔣浩廷向朱金花求婚，朱金花也就答應了。

沈若熙也告訴朱金花，學校畢業後，也曾經當過小秘書，不過運氣不好，她任職的第一家公司，連薪水都還沒有領到就倒閉了；第二家公司老闆刻薄到讓沈若熙待不下去。沈若熙曾經發憤讀書參加國家考試，可惜沒考上，不過，卻在考場遇見了她的真命天子周天來，周天來當兵回來一參加國考就上榜了，這讓沈若熙非常佩服。覺得公務員的生活安定有保障，就接受了周天來的求婚。婚後，孩子陸續出生，沈若熙才知道單靠一個公務員的收入，維持兩大兩小的四口之家，非常勉強。後來更覺得一直租房子，也不是辦法，為長久之計，也為了給孩子們安定的家，沈若熙和周天來決定貸款買個小公寓。

這樣一來，家庭開支更是大幅增加，所以，沈若熙向打字行接一些文件打字的工作，可以增加收入，又可以兼顧家務照顧孩子。

沈若熙說完畢業以後的經歷，最後坦白說出她的感慨與羨慕：

「唉！人生難料，同一所學校畢業十年後，我只能搶購廉價商品，妳卻是有司機專車伺候的貴婦！朱金花，妳真幸福！」

「我的幸福不是因為有司機專車，是因為我的丈夫很愛我，妳的丈夫不是也很愛妳嗎？」

「愛情也要有麵包做後盾，妳嫁了大老闆，整天光鮮亮麗的去當貴賓；我呢，嫁了小公務員，買個小公寓還需要我打字做零工來繳房貸利息，怎麼能跟妳比。」

「小房子既溫馨又好整理，很不錯啊！」

「妳住膩了大房子才有心情開玩笑，我是擠怕了鴿子籠，天天夢見大別墅呢！」

「真的嗎？那麼利用春假到我們別墅來住幾天吧！」朱金花誠心的邀請沈若熙。

沈若熙喜出望外忙不迭地答應：

「真的嗎？好啊，好啊！」

※ ※ ※ ※ ※

回到家，沈若熙忽然覺得身心俱疲，充滿無力感，辛苦多年才擁有的房子，此刻看起來是如此的狹窄不起眼，她憤憤不平地向丈夫周天來說：

「想當年朱金花那個鄉巴佬的穿著言談不知道被同學取笑了多少回，現在竟然變得那麼時髦，尤其是她的名字有夠土的吧？可是將老闆深情的叫她寶貝，聽起來是多麼的嬌貴得寵，給人完全不同的感覺。唉！同樣嫁人，怎麼相差那麼多，除了蔣浩廷的身價之外，人家也比你懂得情趣，你就是不懂情趣，只會連名帶姓的喊我。」

「妳們外省人就是喜歡把肉麻話掛在嘴上，我們台灣人學不來那一套！」

「所以囉，你的家族從來不懂得稱呼人家的職稱頭銜，連什麼先生小姐女士太太公子千金都不會稱呼。」

「妳們那些人開口閉口府上閣下、令堂家母、前輩在下的，有什麼好？虛偽客套假意奉承，官樣文章！」

「你的父母甚至連對方名字也不會稱呼，每次只是喂，喂，的叫來叫去。真是沒文化！」

「什麼沒文化，他們那一代人個性內向不善於表達，但是有真情，相知相惜默契十足，一個眼神動作，一個聲響，就知道其中所代表的意思，這有什麼不好，幾十年了他們並不覺得這樣有什麼不方便！彼此只要明白心意就好了，這是最重要的，幹嘛在乎形式。」

「心意要展現在行動上，蔣老闆隨便送朱金花一個小禮物就是亮晶晶的鑽戒！我呢，到現在還不知道戴鑽戒的滋味呢！結婚時說要省錢張羅婚禮，哄我婚後再買，婚後呢，說買房子優先，又拖下去。」

「不就是那麼一顆鑽戒嗎，去年結婚十週年，我說要買給妳，是妳說要折現的！」

「是啊，我不想買鑽戒，還不是為了省錢！再說了，人家養尊處優的手指像嫩蔥一樣十指尖尖，美麗可愛，配上鑽戒才好看。我這小小公務員的黃臉婆，經年累月的洗衣煮飯，手指像雞爪一樣，就是真鑽戒戴在手上也會被當作玻璃，倒不如折算現金放在荷包裡踏實一些！你不體會我的賢慧節儉，反倒拿來說嘴，真有你的！罷了罷了！誰叫我目光淺短當初只求安定，只看到你的老實可靠，現在的生活就像一灘死水，往後的人生再也沒有指望了，就這麼過一輩子吧！」。

「你太武斷也太悲觀了，世事難料，富貴如浮雲，轉眼成空的的例子比比皆是，窮人也會翻身，家家有本難念的經，窮人有窮人的苦，富人也有富人的煩惱。嫁入豪門一定就快樂嗎？踏踏實實地過日子，才是最重要的。」

「這是窮人的論調，阿Q精神。」

「我們家現在是沒辦法跟人家比啦，但是，我的祖先曾經是超級大地主呢！他們兩百年前來台灣開墾有成，富甲一方赫赫有名，捐地建校、開闢道路、捐錢蓋廟，那時候我的家族可是非常風光的！」

沈若熙冷笑：

「我是聽過你家長輩説過啦！是真是假誰知道！」

「至今有些學校、街道、廟宇等等建築物都還留著祖先捐獻的大名呢！」

「好吧，就算是真的，好漢不提當年勇，都過去那麼久的事情了，有什麼好講的，就算你講得再精彩，也沒用，過去是過去，現實是現實，看看現在你們的生活，看人家朱金花的生活怎麼相比呢！」

「妳的同學朱金花的際遇就像現代版灰姑娘麻雀變鳳凰，不過，那畢竟是少數奇遇啊！」

「她一個土土的台灣偏遠漁村女孩去嫁給上海幫紡織界大老，成了貴婦。我呢，祖父曾經是留洋的大學教授，書香世家，卻嫁給一個土土的台灣家庭，令人感慨命運的不可測——哦！差點把最重要的事情忘了，清明節不是有四天的連續假日嗎，朱金花邀請我們到她的別墅去住幾天。」

「清明節要回內湖掃墓耶！」

「我知道，所以禮拜四你下班孩子們放學之後，就到他們別墅去，住三個晚上，清明節一早，再回內湖掃墓。」

不等周天來回答，沈若熙已經把這個訊息告訴小傑小玉，兩個小孩一聽到放假要去旅遊都非常興奮。

※ ※ ※ ※ ※

四月二日星期四，沈若熙在家裡早早把該帶的東西都整理好，丈夫孩子們下班放學回到家沒多久，就出發前往士林跟朱金花會合，周天來的國產二手車跟在朱金花的豪華進口車後面，從陽金公路轉入別墅區，行駛了一個多小時才到達目的地：奕翠園。

車子從奕翠園的電動雕花柵門緩緩駛入開展在參天喬木、如茵綠草中的長長車道，停在一棟純白色的歐式樓房旁的大車庫。

庭園中的假山小湖、拱橋流水、花棚藤架、草坪泳池，以及歐式樓房中的鑲金廊柱、壁畫雕像、寬廣的大廳、挑高天花板垂掛的水晶吊燈……一切的一切，沈若熙覺得自己像是來到童話中的場景，雖然事先有過想像，待到親臨，還是不免驚訝欣羨。

到二樓房間安置好行李之後，朱金花親自領著參觀，讓沈若熙熟悉別墅的設施，並且交代一位中年女性管家阿嬌好好招待客人。

不多時，主人蔣浩廷也來到奕翠園。

晚餐時，小傑、小玉興奮的問東問西，周天來難堪的制止，叫孩子們不要一直煩主人。蔣浩廷卻親切的說：

「不要緊，這樣才熱鬧，有吵雜聲才有人氣，尤其是孩子們的笑鬧聲最天真可愛了，我也有幾個兒子、孫子，可惜他們很久沒有回來了！」蔣浩廷的語氣中帶著落寞。

孩子們引發了蔣浩廷的感慨，周天來不好意思的安慰著說：

「他們一定是忙於事業挪不出時間。」

「他們根本吃不了苦，哪是忙於事業？根本是嫌棄我這個老人，藉口反對我續絃而不回來。唉！我創造財富供他們享受。一直在花我的錢，都敢這樣對待我，想想那些必須向子女伸手拿錢的老人，豈不是更可憐，不知道會受到怎樣的對待呢！其實老人怕寂寞，年輕人又忙得無暇陪小孩，所以，三代同堂是最理想的！」

周天來點頭如搗蒜，十分的同意，頻頻看著妻子沈若熙，希望一直拒絕融入婆家生活的沈若熙能聽進去這一席話。

因為婚後沈若熙不願意跟公婆住，放假日也不願意回老家看望老人家，覺得那是苦差事，常找藉口逃避，甚至於故意不讓孩子親近老人家，說什麼：孩子要補習、要寫功課、要去看展覽、老家蚊子多、孩子會被老人家慣壞、會學到壞習慣、老人家讓孫子吃垃圾食物、看垃圾電視節目、老人家縱容孫子晚睡等等。

還有，回老家時周天來給父母一點零用錢，老人家不讓兒子盛飯洗碗，這些事情也讓沈若熙不高興，事後總是引起爭吵，後來乾脆以行動抵制，每到假日沈若熙就先把孩子們帶到別的地方。

周天來雖然氣憤，卻不想一天到晚吵架，把家裡變得像戰場，讓孩子們驚惶恐懼。周天來的父母知道兒子的處境，也勸兒子順著媳婦的心意，好好的守住小家庭過日子。

周天來頗有深意的眼光，看得沈若熙很不舒服，既不能反駁蔣浩廷的話，又不想讓丈夫的心思得逞，乾脆對朱金花說想去參觀朱金花的衣櫃。

※ ※ ※ ※ ※

朱金花帶沈若熙上樓到衣帽間。

「哇！這簡直就是禮服店嘛！嫁給有錢人真好！」沈若熙看著一屋子的衣服、帽子、鞋子、皮包、飾品，除了名牌還是名牌，忍不住驚呼。

「我是為了他才穿這些衣服，不是為了這些衣服才嫁給他。家父早逝，這使我渴望成熟男人的愛，而他從不取笑又貧窮又土氣的我，他說那不是我的錯，他尊重我，教導我，使我不再自卑，所以我不在乎他的年齡，也不在乎當個續弦。」

「妳犧牲了青春換取到尊貴和大筆遺產，還是值得的！」

「不！妳不明白！我要的是快樂，至於金錢……」朱金花幽幽地說。

「妳想要說金錢買不到快樂，是嗎？哼！是妳命好，有丈夫疼，沒有公婆管，購物遊樂隨心所欲，才有閒情唱高調！像我，為了買房子拼命開源節流，公婆還嫌我浪費，又嫌我給他們的錢太少，我如果有錢就不必受這些氣了！」

「這不是他們的錯，早期台灣人的刻苦的程度超乎妳的想像，他們窮怕了，希望子孫能脫離貧苦，難免會對妳苛求，妳既然嫁給台灣人，就必須去了解他們，體諒他們！」

這時管家阿嬌來報告，蔣浩廷有事必須和朱金花趕回台北。朱金花臨走前鼓勵沈若熙一家人充分享受，又再度交代管家阿嬌好好招待，不可怠慢。

※　※　※　※　※

主人不在家，沈若熙一家人更自在，尤其是管家阿嬌陪沈若熙騎單車到附近人口集中的小村落閒逛順便買山產時，村人的謙卑最令沈若熙飄飄然。周天來說和氣是村人的習性，並沒有特殊的分別心，沈若熙卻認為那是由於村人知道她來自奕翠園。

才陶醉了一會兒，沈若熙立刻想到她只是奕翠園的短暫客人，不禁又心情低落的感慨：有人辛苦半生才勉強有個小窩；有人連片瓦寸土也不可得，有人輕易擁有了別墅卻不屑一顧，這世道該從何說起呢？

在奕翠園，沈若熙一家人非常愜意的過著世外桃源般無人打擾、沒有俗事干擾的渡假生活。

早晨在寬大柔軟豪華舒適的床上醒來，管家早已將前一晚吩咐過的中式或西式的早餐準備好，用過早餐之後，他們可以到桌球室打乒乓球，到游泳池游泳，到撞球室撞球，到視聽室看電影，也可以離開別墅到附近散步做森林浴，聽著四周美麗樹林間傳來悅耳鳥鳴聲，呼吸者最新鮮的空氣，盡情地歡笑跑跳，弄得滿身大汗，再進入光亮潔淨設備齊全的浴室洗泡泡澡，或在水療按摩浴缸裡面舒壓消除疲勞。

他們也會到大廳開啓最佳音響設備，播放舞曲，讓優美高雅的音樂流瀉在整個大廳。沈若熙和周天來都不會跳舞，但也忍不住模仿了電影中看過的歐洲宮廷舞會上男士女士們的舉止動作，彎腰請舞、微笑起立、繞圈旋轉，兩個人手拉手在在寬廣光滑的大廳地板上翩然起舞，想像自己置身在一個冠蓋雲集、衣香鬢影的豪華盛會中。

※ ※ ※ ※ ※

快樂的時光總是過得特別快。在奕翠園盡情享受了三天快樂假期，第四天清明節早晨，沈若熙一家人整裝準備離開別墅，回老家和婆家的人會合一起去掃墓。

萬萬沒想到車子竟然故障了。因為之前沈若熙婉拒了朱金花要提供車子的好意，所以可以停放四部車的偌大車庫只有孤零零的一部故障的老舊國產二手車。

事情緊急，沈若熙和周天來一致認為應該要先去掃墓，之後再來處理車子。

沈若熙這才發現原來住在世外桃源也有不方便的地方。沒有計程車、沒有公車、沒有鄰居，從台北叫計程車到這裡，時間金錢都不經濟，還不見得能找到這個地點。

沈若熙拜託阿嬌找住在附近村落的計程車或是有車的友人幫忙，結果，因為是清明節連假，不是掃墓就是出遊，難得有空有意願幫忙的，也都是說要至少要兩三個小時之後才能到這裡。當然那對於掃墓是緩不濟急的。

沈若熙決定放棄，周天來提議騎單車到大馬路旁小村落搭客運。

「騎車、等車、轉車回到老家，再到山上公墓，都幾點了？我看算了吧！」

「掃墓、家族會議都不能參加了！」周天來哭喪著臉。

「瞧你沒出息的樣兒，掃墓和家族會議缺席一次會怎樣？掃墓有大哥他們；宗族會議要討論祭祀公業的事，你爸爸才是派下員，你連名分都還沒有，去了也不會增加利益，不去，人家也不至於吞掉爸的那一分！再說了，去年我們不是陪爸一起出席會議嗎？嚇！派下員有幾百個人呢！爸爸分到那幾百分之一的山坡地，也是讓大哥耕種。如果能賣個幾萬塊錢，爸媽留著養老，不再來麻煩我們，就很感謝了，你指望什麼。所以今年掃墓和家族會議就缺席一次吧。」

沈若熙鐵了心腸做了決定。

「可是這方面，爸媽一向依賴我……」

「我們又不是故意不回去，是你那二手車罷工，要留我們多玩一下的嘛！你還是趕快打電話回老家說明狀況，免得他們空等！」沈若熙一派輕鬆的說。

周天來只好硬著頭皮打電話。很重視祭祖的周老先生一聽，氣得罵他悖祖忘宗，就掛斷電話。

這一年的清明節，沈若熙一家人就這樣沒有去掃墓。周老先生也好幾天都不理周天來，一個禮拜後，才肯接聽周天來的電話，也還是冷冷淡淡的，並且始終也不曾把會議情形告訴他這位「周家之光」的大學畢業生！

※　※　※　※　※

一個月後，大哥周天送的兒子周進福要結婚，老人家要裝修房子，大哥周天送明明知道會讓弟弟為難，還是硬著頭皮打電話，請弟弟讓老人家去住幾天，哥哥周天送說：「爸媽本來打算去住安老院，我勸說了好久，才說動他們去你家，只要一個星期到十天，這期間就麻煩你了！」

大哥周天送國中畢業之後，就在家裡幫忙種田，很早娶妻，大嫂進門後一直在老家操持家務，侍奉公婆。因為大哥的犧牲，周天來才能安心求學。周天來成家之後本該接棒盡孝道，可是沈若熙和婆家格格不入，晨昏定省的責任還是落在大哥大嫂身上，這讓周天來覺得十分歉疚。這次大哥提出這樣的要求，周天來沒有理由不接受，可是沈若熙一聽到這件事，立刻激烈反對：

「何必整修房子，進福要結婚，去租房子啊！我們不也是如此？」

「大哥大嫂在老家跟爸爸媽媽住了那麼多年，我們都沒有接爸媽來住…」

「他們住老家不必花錢，我們住外面的人才辛苦呢！要付房租，要繳貸款，我們買房子爸爸媽媽有幫忙出錢嗎？沒有吧！」

「他們不是不幫忙，是沒有能力幫忙，為了這件事，他們也很難過啊！」

「才怪，他們一開始就不喜歡我這個外省人，把我當異類看，還有，我們家就三間房，他們來了要叫小傑小玉同住一間嗎？他們已經大到男女有別了！」

「他們早先反對我娶外省人，是受到二二八事件影響，也擔心語言文化不能溝通，後來觀念改變了，對妳也很友善啦，你就試試看接納他們吧！」

「我不管，如果你堅持要他們來住，到時候產生摩擦，別怪我沒警告你！」

第二天，周天來下班後帶著父母回到家。沈若熙一看，氣得奔回臥室。

「老家明天就要動工，所以…」周天來追進去，低聲下氣的解釋。

「你根本不尊重我！」

「小聲點，他們在外面。」周天來繼續央求沈若熙：「他們既然來了，妳就勉為其難吧！」

「什麼叫勉為其難？你只關心他們，根本不在乎我的感受。」

「老家那邊弄好，我就送她們回去。只是暫時的，忍耐一下啦！」

雖然臥室門關著，但是隔音效果不好，聲音還是傳出來了。客廳裡，還沒有坐下的周老先生夫婦聽見兒子媳婦的對話，重新拿起行李，對著裡面說：

「天來，我們走了。要在這裡看人臉色，不如去安老院！」

周天來衝出來把他們拉住。沈若熙也走出房間，冷冷的說：

「你們以為安老院說去就能去嗎？要先繳錢的！沒錢，誰讓你們住啊？每次動不動就拿安老院來自虐虐人，就是想要讓子女們愧疚！」

「以為我們是隨便說說嚇唬人的嗎？」周老先生搖頭嘆息：「唉！俗話說養子是義務，不孝是應該，我還以為是在說笑，沒想到真的讓我碰上！」

周天來生氣了，對沈若熙說：

「妳說這種話實在太不應該了！」周天來很快轉頭向父母道歉：「爸，媽，對不起，剛剛開始大家都有點不習慣，住下來吧，過一段時間就好了！」

※　※　※　※

做父母的和做妻子的，雙方為了不讓周天來為難，雖然不愉快不甘願，也勉強的三代同堂了。儘管媳婦厭惡公婆的鄉土習氣，公婆也不滿媳婦的開放和自我，但都盡量忍著，在表面上維持了冷淡的和平假象。

不過假象畢竟禁不起考驗，一件小事就能將它破壞。

那天沈若熙從外面回來，赫然看見奕翠園的管家阿嬌坐在家中客廳裡，她無論如何也不想讓奕翠園的管家看見自己住在平價公寓裡，她可是奕翠園的上賓，讓阿嬌伺候過的人呢！

婆婆不清楚狀況，不懂媳婦的心理狀態，一接到阿嬌的電話說是媳婦認識的人，就邀請來家裡，還熱情招待，唯恐怠慢了媳婦的朋友，一面毫不保留地訴說著自家的窮困，一面不知藏拙的炫耀她辛苦栽培兒子念大學，在滿街都是博士碩士的年代，婆婆徹底曝露出村婦的愚蠢無知，讓沈若熙顏面盡失難堪到極點！

沈若熙當天晚上就逼問丈夫周天來：

「爸媽到底要住多久，什麼時候搬走？」

「他們不是住得好好的嗎？他們也有幫忙做家事照顧小孩呀！」

「我寧可忙死累死，也不要讓他們的土氣羞死氣死！」

「什麼話！他們再土也是我的父母，農民的純樸是美德，不是罪惡，妳的虛榮才令人不齒呢！」

「純樸只適合農村，這裡是台北，你希望孩子們土裡土氣的在學校或將來出社會讓人家嘲笑嗎？我可不願意，一個屋頂下容不下兩種不同的生活方式，必須有人離開，不是他們就是我和小孩！」

兒子和媳婦毫不避諱的大吵大鬧，讓老人家再也看不下去，周老太太心寒了，整理好行李，對老伴說：

「走吧，住家裡的農具間也比在這裡舒服，不要讓兒子為難了吧！」

周天來再也留不住堅持離開的父母親，之後，日子似乎恢復平靜了。

※　※　※　※

沈若熙很懷念奕翠園的生活，但覺得意猶未盡，一直渴望能夠住久一點。朱金花曾經說歡迎隨時再到別墅度假，所以沈若熙非常期待暑假到來。

暑假終於到了，沈若熙打電話到奕翠園，那邊無人接電話；再打去朱金花台北的豪宅，傭人告訴沈若熙，朱金花陪蔣董事長去了美國，可能要住上好一陣子。

眼看暑假一天天虛度，沈若熙卻無可奈何。直到八月中，才接到朱金花的電話，帶來的卻是朱金花的丈夫蔣浩廷胃癌病逝的消息。

隔天沈若熙到朱金花下榻的飯店探望朱金花。朱金花面容哀戚說：

「這並不意外，婚前我就知道他隨時會走。」

沈若熙心想：好家伙，知道富商又老又病活不久了，才嫁的嗎？豈不是存心賺遺產？

看到沈若熙的表情，朱金花搖搖頭說：

「我知道妳在想什麼，你認為我明知他有錢而且活不久，才嫁給他嗎？」

「不、不，我認為妳不顧一切嫁給他，犧牲青春，陪他走完最後的日子，他應該感到滿足了！」嘴裏這麼說，沈若熙心裡還是存疑：明明愛錢，還想撇清！

「唉！有什麼用？既不能幫他驅走病魔，又不能幫他經營公司拯救公司，反而成了他臨走前放不下的負擔。」朱金花知道沈若熙仍然懷疑，又說：「一開始我就表明不要他的財產。但他還是給了我很多。」

「所以妳還是成了富孀啦！」

「正好相反，他生病那幾年，由他兒子代為掌理時，不但經營不善而虧損了，還被兒子的妻舅掏空，蔣先生想在事情曝光前以私人資產彌補，我也提供股權及不動產，連奕翠園也不得不脫手。」

「啊！」沈若熙像頭部遭到重擊似的：「奕翠園被賣了？！」

「很抱歉，不能邀請妳去度假了！」朱金花無奈地說。

沈若熙彷彿失去自己的別墅一樣難過，卻還得先關心朱金花：

「妳怎麼這麼傻，以後怎麼生活？」

「還有一些首飾和未到期保險，還可以生活啦。這酒店是暫時落腳，我已經在郊區租了小房子，就要搬過去。以後說不定要拜託妳介紹我去打工呢！」

「怎麼那麼風光的局面，說垮就垮了……」沈若熙不勝唏噓。

「企業的開創艱難，守成也不易，所以有時候我很羨慕妳，兼個差打打工就能幫丈夫解決問題。」朱金花說得真誠，不像在取笑沈若熙。

「至少妳抓住了彩虹的尾巴，讓人生燦爛了一下。」沈若熙想辦法安慰朱金花。

本來計畫利用暑假去奕翠園住個過癮，現在夢碎了，失去一個可以免費享樂的地方，這讓沈若熙十分沮喪，心情鬱悶一直想到朱金花的事。

※　※　※　※　※

朱金花的遭遇讓沈若熙受到很大的衝擊，許多想法在心中激盪，才短短四個月，她對朱金花，就從羨慕變成同情，這讓沈若熙深深覺得人生無常。

不知道是情緒低潮，感慨了好幾天而得到「漸悟」；還是看開了在剎那間「頓悟」，她突然體會到，把握現在所擁有的才重要。自己的丈夫雖然平庸無奇，卻健康老實，孩子雖然調皮淘氣，卻無可取代；公公婆婆雖然固執粗俗，卻勤儉善良。只要知足包容，必能常樂！

這麼一想，看到平凡的丈夫覺得可愛多了，對丈夫說話的口氣也不再那麼衝了。想到丈夫當夾心餅的辛苦，想到孩子們和祖父母相處的快樂，想到自己外出時不必擔心孩子在家……沈若熙忽然對丈夫說：

「老公，我們要不要請老人家過來住？」看到周天來狐疑的表情，知道他不信，沈若熙又說：「你不信？現在就打電話啊！」

「妳想清楚了嗎？我這就打電話邀請他們來，到時候妳可別反悔喔！」

小傑小玉聽到爺爺奶奶要來住，也很高興，小傑立刻搶先打了電話。

沈若熙沒想到自己的小小轉變，能讓丈夫兒女那麼高興，想必公婆聽了會更加高興吧！不過周老先生的回答卻讓她很意外，小傑轉告的話竟然是：

「爺爺說不必了，他們已經把安老院安排好了。」

沈若熙以為自己大發慈悲會得到鼓掌感激，想不到碰了個軟釘子。先是愣了一下，回過神來，認為不必把這句話當真。

沈若熙判斷老人家不可能真的要去住安老院，只是在不順心時賭氣說說，因為他們知道住安老院不便宜，節儉的他們怎麼捨得花錢？他們上次被驅趕的氣還沒消，這次接到電話說要請他們來住，為了面子，故意拿翹，才對小傑這麼說。

「是在說氣話吧！老人家就像小孩一樣需要人哄。」沈若熙輕鬆的說。

小傑著急的把爺爺的話繼續轉達：

「是真的，他還說叫我們禮拜天一起去看看安老院。」

「他們住安老院，每個月要我們分攤多少錢？沒商量沒告知，也不想想他們的兒子是不是負擔得起！」沈若熙臉色一沉，面子裡子都有點受傷。

周天來覺得必須說些什麼：

「也許他們生氣時，真的有去參觀安老院，但不表示他們要去住；也許我們的邀請來得太突然，他們還沒有查證，不敢冒然答應；也許妳無預警的改變，讓他們覺得不自在。總之，過些日子他們明白兒媳的心意，就會願意過來了。」

於是周天來親自打了電話，但父母只是再次叮囑：星期天去看安老院。

※　※　※　※　※

星期天，周天來載著一家人，和滿腦子「他們真的要去住安老院」的疑問，還有「不孝」和「增加支出」的焦慮，回到內湖老家。

父母親和大嫂搭乘大哥周天送開的車，在前面帶路，周天來的車跟在後面，向老人家所說的安老院出發。

從公路轉入山腰小路時，周天來問沈若熙：

「咦？這不是往奕翠園的路嗎？」

「是啊，就是這裡耶！」沈若熙的第一樁驚訝還沒消停，第二樁驚訝又來了：「什麼！他們停在奕翠園呢！」

柵門開啓，周天來的車跟在大哥的車子後面，緩緩進入奕翠園。沈若熙似乎弄懂了：

「真的是奕翠園，好巧喔！朱金花只說奕翠園賣了，沒想到是賣給人家做安老院，更沒有想到爸爸媽媽要來參觀這家安老院。」

當沈若熙看見工人正要懸掛招牌，第三樁驚訝讓她更興奮：

「春米安老院，哈哈！真夠巧妙，連安老院的名字都跟媽的名字一樣呢！」

不過，她很快的產生了疑惑：春米兩個字可不是隨處可見的名字，怎麼會這麼巧？還有，剛才鐵柵門怎麼會自動開啓，難道是公公婆婆有遙控器嗎？周天來和沈若熙很快的下車來到父母面前問道：

「春米安老院？那不是媽的名字嗎？江春米……？」

「是啊，你媽媽嫁來周家，辛苦一輩子，我什麼都沒有給她，她也從來沒有向我吵著要什麼，只是這幾年常常提到安老院，所以我把這裡買下來。用她的名字設立春米安老院——」周老先生說。

「買下來？」周天來和沈若熙同聲尖叫，驚駭的問道：「怎麼可能！那來的錢呢？」

「去年底我不是被通知要分配祭祀公業的土地嗎？那是我們渡台祖來台開墾之後，劃定一塊土地用來祭祀，因為規定不准抵押、典當、買賣，所以還保留著。現在政府要讓國土充分利用，於是訂出辦法要公業盡快清理使用。」

「你們不是說這件事情很難辦嗎？」

「其實這個已經處理好幾年了，一直沒有什麼進展，但是前年開始，有建商看上這一區，要做整體大規模的開發，進度就變快了！」

「建商要開發，那麼，這塊地值錢了？」

「以前山坡地是以甲論價，一甲幾十萬，現在是論坪，一坪十萬起跳。」

沈若熙已經不知道這是第幾樁驚詫了。

「差這麼多啊！可是派下員有好幾百個人要分，每個人能分到多少呢？」

「原先以為土地不值錢，六甲土地，不到六百萬元，派下員二、三百人，每一個人分不到三萬元，還得處理申報繳稅跑政府機關銀行等等繁雜的事。所以大家都不起勁。後來建商找了很專業的代書來說明，才知道分配權利的方式，是以祭祀公業設立人的子孫房份來分配，公業設立人有五個兒子，第二代每房是五分之一，這樣往下分配繼承。有人早婚又生得多，已經到第八代派下，用現在地價計算只分到三十萬元。有人晚婚又生得少，或是早夭無嗣，我們這一房，幾代都人丁單薄，我是第六代也是唯一一個，所以我繼承了五分之一。」

周天來和沈若熙的心快要跳出胸口了，忙不迭的問：

「五分之一？五分之一是多少？」

「一甲多，三千多坪。」

「你剛剛說一坪多少錢？十萬嗎？那麼……」

「我跟建商談要淨拿，所有費用扣除後，總共三億六千萬。」

「天哪！三億六千萬！」沈若熙像被閃電打中似的，無法思考。

「領了錢，聽說這裡有房子要賣，看了覺得環境清幽，就買下來開設安老院，完成你媽媽的心願，讓天送一家人來經營。以後這裡也打算讓他繼承，這樣他們有了事業，就不必再靠勞力務農了。」

周老太太插進來補充說明：

「開設安老院是讓一些被子女嫌厭的老人，有便宜的地方可以去。叫天送經營是因為他國中畢業後，一直在家裡幫忙，結婚後也靠著他們維持這個家，我們兩個老的吃穿、病痛，也是他們夫妻兩個在照顧。天來，你讀了大學，有固定薪水和退休金，我們比較不擔心。」

周天來和沈若熙無言以對。

「你們學歷高，思想洋派，就算要把這些給你們，你們可能也看不上眼，覺得落伍破舊，交通不便，沒有像市區那樣繁華熱鬧。」

「我們，怎麼會……」沈若熙想辯解，卻想起自己確實曾經這麼說過。

「你們總是害怕這樣的家庭減損了你們的光彩，希望跟老家離得遠遠的，巴不得能脫離關係。幾次找你們回家討論，你們總是去玩樂，找藉口不回來，我們等不及了，所以自己做了決定。反正你們很有主見、很有骨氣，一再強調要獨立生活、不會依賴祖產，也不想被老家拖累，所以我們打消了跟你們討論的念頭。」

一向伶牙俐齒的沈若熙，心中如巨浪翻攪，嘴巴卻像被黏住了，無言以對。

小傑小玉不停地跑來跑去、跳上跳下，這時候衝進來激動的叫著：

「媽媽妳說夏天可以來游泳，可是游泳池沒有水了！挖土機一直把土倒進去耶！」

「哦，有幾個地方還需要改造，那裡要弄個槌球場，以後你們可以來玩槌球，很好玩的！」周老先生笑著說。

「可是我比較喜歡游泳！游泳比較好玩！」小傑嘟噥著。

沈若熙突然升起一股無名火，大聲斥責：

「整天只知道玩！走！回家去做功課！」

周天來聽了，趕緊對父母說：

「我們在這裡也幫不上忙，小傑還有功課，我們就先回去了！」

回程的車上，氣氛沉悶，周天來打開收音機，跟著播放的曲子哼唱。

「吵死了，知道我們損失有多麼慘重嗎？」沈若熙懊惱的吼叫，想發洩什麼。

「哪有什麼損失！只是沒撈到而已，大樂透沒簽中會損失簽注金，我們連簽注金也沒有花呀！」

「你父母買奕翠園作為安老院，將來都是你大哥的！我們的小公寓還在繳房貸耶！」

「妳找他們去要錢啊！」

「我哪有臉開口啊……倒是你！家裡在進行這些事的時候你幹嘛像死人一樣！」

「是妳說不要依賴老家，也不想被拖累，叫我沒事不要一直回老家的呀！現在他們不會拖累我們，我們也堅持不依賴老家，妳的願望都實現了呢！」

「……」沈若熙似乎同意了，忽然又說：「可是我的心怎麼會這麼痛呢？」

周天來倒是開朗得很，因為他在妻子心目中的地位已經悄悄的逆轉勝了。

道路兩旁的樹葉晃動，陽光被篩灑得斑駁燦爛，一切顯得飄忽如幻影，美得非常不真實，就像她這半年來的遭遇。心情放鬆之後，氣氛也隨之一變，孩子們笑鬧起來，小小的國產二手車廂洋溢著歌聲笑聲。

不久，進入市區，來到一家百貨公司前，沈若熙忽然緊張的叫起來：

「停車！這裡有換季大拍賣，我要去撿些便宜貨！」

「撿了芝麻掉了燒餅，光會撿小便宜有什麼用，大大的便宜早被別人撿去了！」周天來喃喃的說。

「你說什麼？」沈若熙回頭問。

「我是說妳的心情真的需要來一次換季大拍賣，快去吧，大大的便宜快要被人家撿去了！」

沈若熙興致高昂的向人多的地方擠，她知道那是最有便宜可撿的地方。

「聽某嘴，大富貴，我這麼聽老婆的話，怎麼沒得到大富貴呢？哼！一點都不準！」

還是被騙了

傍晚，邵品雯把收支帳目整理好，留下丈夫田祖威在文具店裡等候放學和下班的人潮，再做一些生意，她先回到隔著一條街的住家去準備晚餐。

邵品雯按了電鈴，來開門的，是一對同父異母的兄弟倆——田祖威的前妻何曼玲生的田立平，以及邵品雯親生的田立安。兩兄弟見了邵品雯，像是久旱盼到甘霖似的，驚喜的齊聲喊：「媽！」。不過這驚喜僅僅維持三秒，兩人臉上便浮起憂愁又著急的神色。

「怎麼，吵架了？」邵品雯關心的問。

「才不是，哥哥快要被他的親生媽媽帶走了。」田立安苦著臉說。

「不許胡說，平是我們家的一份子，怎麼會被帶走？」

「真的啦，哥哥的親生媽媽打電話來，奶奶正在跟她講電話呢！」

邵品雯衝進婆婆房間，果然，婆婆正對著話筒罵：

「像妳這樣不負責任的人，不要叫我媽，立平也不會認妳這個母親……什麼，一次就好？不行！鬼才相信妳的話，我被妳騙得還不夠嗎？不必再說了！」

田老太太掛上電話，氣憤難消的對邵品雯說：「這個不要臉的女人，說要見見立平，哼！孩子小的時候，她丟下不管，自己一走了之。現在別人替她把孩子養大了，她就想來撈現成的，當我們是一群傻瓜呀！我絕不會答應的！」

「她只是想跟立平見面？」

「她當然這麼說，還保證說只要一次就好，可是，能信嗎？這個女人最會說謊，從祖威第一次帶她來見我，她就開始騙我，說她是鐵路局莒光號小姐。哼，其實她是在鐵路餐廳洗盤子！」

「如果不讓她見，她會不會直接去學校找立平？那不是更……」邵品雯無心聽婆婆那些老掉牙的氣憤牢騷，憂心忡忡的說。

「這，很有可能！她一向任性，做事情從來不考慮後果，想到什麼就做什麼，絕對不會替別人著想！十年前，跟祖威吵了一架，掉頭就走，也不想想那時立平才一歲多，不滿兩歲耶，哭著喊媽，嗓子都哭啞了，她頭都不回，連再看一眼都沒有，真是有夠狠心！幸好有妳，把立平當自己親生的一般對待，讓立平快樂長大，不然……」

「如果答應了她，就怕她不守信用，得寸進尺……」邵品雯沉吟著。

「那是一定的，她是一個不知足的人。嫁給祖威，雖然算不得是當少奶奶談不上享福，但是我們田家比起她娘家，可要強多了！起初，她騙說她父親在國外做生意，其實是販賣違禁品犯了案去坐牢！那一陣子，她偷偷攢私房錢拿回娘家，我都沒拆穿她，她還以為我不知道呢！不但不懂得感謝，還嫌棄我們作的小生意，說什麼為了賣一枝筆、一份報紙、一包香菸跑進跑出走來走去的，才賺幾塊錢，天天叫苦喊累，說她要去賺大錢！哼，他有什麼本事賺大錢？還不是賣她的幾分姿色！好了，現在年老色衰了，就動起歪念頭了……」

田老太太每次一談起何曼玲，新仇舊恨就被勾起，話匣子一開，就關不起來。

邵品雯出言打斷婆婆：

「如果到時候，她把立平帶走……」

「這一點倒是不必擔心，她不是真的要孩子，我猜她的目的是要錢。」

正說著，田祖威回來了，面色凝重。邵品雯問道：

「你也接到曼玲的電話了？」不等祖威回答，又接著問：「她是不是說要見立平？你答應她了嗎？」

「我要問問立平，畢竟她是立平的生母，立平有權利決定要不要見她。」

「我擔心立平不能承受這個衝擊。」

「衝擊既然來了，是躲不掉的。」

徵求了立平的意思之後，這對闊別了十年的母子，終於在一家西餐廳見了面。

見面之後，田立平回到家，只輕描淡寫的報告：

「她問了我一些生活上的情形，然後帶我到她住的地方，介紹我認識她女兒。」

「她有女兒？」一家人都覺得訝異。

「嗯，是我同母異父的妹妹，叫何欣欣，今年十歲。」

「十歲？跟我同年哪！不知道她幾月生，是我姊姊還是妹妹呢？」田立安興奮的說。

「跟她姓？不知道和哪個男人生的，連個姓都不給她，這種來路不明的野種，少跟她扯上關係！」田老太太瞪了田立安一眼。

田立平聽了也不再說話，黯然回房去。

誠如田老太太所料，何曼玲果然是個不講信用的人。自從跟田立平見過面，她便接二連三的打電話來說要找她兒子，田立平並沒有表達反對通電話，家人也就不好拒絕。可是，田立平接過電話之後，總是抑鬱不樂，全家人都受到影響，原本快樂的氣氛都消失了。田老太太一想到就罵：

「這不要臉的女人，在外面混不下去了，又想吃回頭草。她以為人人都必須隨著她的情緒，呼之即來，揮之即去呀！都是你不好，為什麼不乾脆回絕了她？跟她囉嗦什麼！」

罵完何曼玲，轉而責怪田祖威，接著又來叨念田立平：

「還有你，立平啊！你要聽奶奶說，你是很幸運的，有品雯這樣的媽媽愛你。你長大要孝順的，也是這個媽媽。那個女人雖然生了你，卻又拋棄你，完全沒有盡到做母親的責任。俗話說，生的擺一邊，養的恩如天，意思是說，養育比生育辛苦，你可不要被那個女人幾句甜言蜜語騙得團團轉。」

田立平的臉，一陣紅一陣白，邵品雯急忙替他解圍：

「總是親娘嘛，天生骨肉親情去不掉的，見見面、聊聊天也不為過啊！」

田老太太一聽又有氣了，剛才那一陣罵，沒掃到邵品雯，現在她也免不了了：

「妳也一樣差勁，一點原則和個性都沒有。做好人也該有限度，替人家養大了孩子，現在丈夫兒子都要被拐走了，還不敢發脾氣，人家都騎到妳頭上去了，妳還再忍耐，妳以為這是賢慧嗎？這叫做愚蠢！」田老太太看媳婦低頭不語，意猶未盡的補充說：「祖威和立平跟她有過夫妻或母子關係，拒絕不了，妳就有責任代替他們擋掉她的騷擾！」

邵品雯想想，覺得不無道理，如果祖威和立平因為這事而憂愁困擾，她應該要出面幫忙排解，不能置身事外。所以，第二天，何曼玲又打電話到店裡的時候，邵品雯坦白的對她說：

「自從妳出現以來，祖威和立平都變得很不快樂，每天都在煩惱，請妳不要再來打擾我們。」

「可是我病了，品雯，我需要幫忙，這世上，除了祖威，我沒有更親近的人了。」

邵品雯心一軟，不但叫田祖威接電話，還讓他到醫院去看生病住院的前妻何曼玲。

田祖威這一去，從上午一直到黃昏，傍晚時分才打電話回家說：

「品雯，今天你早點收店，不要等我。明天起，如果你一個人忙不過來，就休業幾天吧！」

「怎麼回事？」

「我現在和曼玲在宜蘭，明天要到花蓮。」

「妳跟她去宜蘭花蓮做什麼？」

「品雯，請妳原諒，就這麼一次。曼玲她得了絕症，活不久了。她想利用有限的生命做一次環島旅行，希望妳成全她這個可憐的心願。」田祖威不讓妻子再問，便掛斷電話。

「喂——」邵品雯對著沒有回音的話筒呼叫，愣住了。

田老太太知道後，非常生氣，她說：

「這是什麼話！居然勾引祖威放下生意不做，跑去環島旅行！這狐狸精到底給祖威吃了什麼迷藥！」

「她說她得了絕症，環島旅行是她的最後心願。」

「絕症！絕症是說得就得的嗎？沒聽過好人不長命，禍害三千年嘛？要得絕症有那麼容易嗎？再說，她像嗎？前幾天不是還活蹦亂跳，打扮得像妖精一樣！誰會相信她的胡扯！妳怎麼沒阻止他們？怎麼不教祖威回來？」

「祖威沒讓我說話就掛斷電話。」

「唉，這女人太可惡也太厲害了，妳根本不是她的對手！」田老太太焦急又無奈的嘆著氣。

這時，田立平已悄悄走出房間問道：

「妳們剛剛說——她——得了絕症？」

「啊……可能我聽錯了，因為爸爸是在匆忙中打的電話——」邵品雯支支唔唔的忙著解釋。

「立平，你放心啦，她的謊話說多了，普通的謊話騙不了人，她就編一些比較特殊比較強烈的謊話來嚇人。沒事啦，死不了的啦！」田老太太不希望孫子為了擔心這個而不快樂，安慰著立平。

「我打電話問問何欣欣。」

「嗯，這一定可以拆穿她的謊言。」邵品雯點頭同意。

田立平撥通了電話後，問道：

「何欣欣，我是田立平，妳知道妳媽媽在哪裡嗎？……她是這麼說的嗎？她有什麼病呢？……嗯，知道了，再見！」

「怎麼樣？何欣欣怎麼說？」邵品雯問田立平。

「她常在醫院進進出出，何欣欣也不清楚她有什麼病，有時候倒不如說是她在鬧情緒。這次，她把何欣欣託給房東太太照顧，說她要去住院。何欣欣也沒去查證，因為習慣她這種行為和說法了！

「為了博取男人的憐愛，編出這種謊言，不惜讓子女擔心，她實在太過分了！我一定要拆穿她的西洋鏡！」田老太太憤憤的說。

幾天過去了，田祖威不但人沒回來，連電話也沒打回來。疑雲和愁緒籠罩了田家上下。到了第五天，田老太太終於忍不住了，她叫媳婦到警察局去報案。才向警察局備了案，田祖威就風塵僕僕的回來了。

——「為了她，連生意都可以不做，她這麼重要嗎？」

——「這幾天都到哪裡去？為什麼不打電話回來？」

——「她真的病了嗎？嚴重嗎？」

田祖威對於母親、妻子、兒子的一連串問題，一律不作答，始終保持緘默。田老太太終於按耐不住的發飆：

「你不說？好！我去找那個女人問清楚！」

田老太太先打了電話，打過電話，對邵品雯說：

「她女兒說她到醫院去了，我們這就去醫院，看她是真病假病！」說完便拉了媳婦出門。

婆媳兩人到了醫院，還真的問到何曼玲的住院病房，可惜沒找到人，她的病床是空的。

問了同房的病友，她們說：

「要找她恐怕不容易，她總是來來去去的。」

「她得的是什麼病？」邵品雯問。

「好像是肝病，唉，抽菸、喝酒、熬夜，肝當然不好啦！你們是？」

「啊！朋友，多年不見的朋友。」邵品雯撒了一個謊，又問：「她不嚴重吧？還能請假外出呢！」

「大概是需要療養，有時候看她愁眉苦臉、唉聲歎氣的；有時候又濃妝艷抹、花枝招展的，最近還聽說她要結婚了。」

「結婚？」邵品雯和田老太太同時驚叫：「什麼時候？和誰？」

「這我就不知道了，她沒說，我也不好意思問。」

「當然是跟一個愛我的男人。」何曼玲忽然出現在門口，不理會那幾個人的驚愕，一派輕鬆自在的說：「趁我不在，來探聽消息呀？想知道什麼，直接來問我不是更清楚嗎？何必偷偷摸摸的！」

「妳才卑鄙呢！為了博取同情騙取感情，竟然說自己病得快要死了！活不久了！只有祖威這種老實人會上妳的當！」

「他沒上當，我沒騙他，我是病了，能活多久我自己也不知道！」

「妳要裝，就裝得像一點，為什麼還打扮得光鮮亮麗去勾引男人？」

「我裝得不像？喔！那是因為人逢喜事精神爽！」

何曼玲提到喜事，邵品雯想起她要結婚的事，問道：

「聽說妳要結婚，是跟……」

「祖威，我要跟田祖威結婚。」

「不，不可能——」邵品雯像被蜂螫了一樣。

「妳別想！我不會讓我兒子娶妳的！」田老太太也說。

「所以我們需要談談。」何曼玲一副傲慢又自信的表情。

「沒什麼好談的，我絕不會跟祖威離婚！」邵品雯堅定的說。

「妳如此深愛田祖威，令人感動，弄得我都不好意思跟妳搶丈夫了。好吧！那就把立平還給我！」

「什麼？立平？你別動他念頭！」邵品雯叫了起來。

「怎麼？立平也不行？邵品雯，妳也太貪心了吧！妳有三個男人：田祖威、田立平、田立安，我一個都沒有，將來我老了以後怎麼辦？妳捨不得丈夫，我可以理解，但是立平是我生的啊，我把他要回來，對妳來說，不是減少負擔嗎？」

「閉嘴！只有像妳這麼不負責任的人，才會把孩子當負擔。對我來講，立平是不是我生的並不重要，重要的是，他是我的兒子，是我生命中不可少的孩子。十年來，他喊我媽媽，我了解他，知道他愛吃什麼菜，愛看什麼書，被老師誇獎，他會告訴我；被老師責罵，他也會告訴我，妳呢？知道他對什麼過敏嗎？知道他喜歡班上哪個女生嗎？知道他的志願是什麼嗎？」邵品雯急切中提出一連串的問題。

「我，我……」何曼玲被邵品雯超乎意料的激動表現震懾了，囁嚅了半天，才恢復她的蠻橫任性，說：「我可以重新去了解他。」

「他曾經被妳遺棄，我努力幫他把傷痛包裹起來不去碰觸，他也努力配合我的用心，回報了他的乖巧懂事。如果我現在遺棄他，奶奶也任由妳把他帶走，他會認為全世界都不要他了，妳想他會怎樣？何況，妳能保證不會再度離他而去？所以，請妳替他著想，如果愛他，就不要帶走他！」

「可是，我的後半輩子……」何曼玲態度似乎軟化了不少，卻尚未死心。

「妳需要男人，到別處去找吧，不要再來糾纏我兒子我孫子！」田老太太生氣的說。

邵品雯看到何曼玲低頭把玩著手上的皮夾子，恍然悟到什麼似的說：

「妳是不是缺錢？需要多少妳說。」

「哦，我是需要一筆錢，我想到美國去治病，可是那需要三百萬……」何曼玲抬頭看了看邵品雯，又說：「算了，妳還是把我的親生兒子立平還給我吧！」

「三百萬！妳這是在敲詐！還是在賣兒子！」田老太太氣得伸手要打人。

邵品雯攔住婆婆，對何曼玲說：

「拿了錢以後，妳願意簽字保證不再來騷擾？」

「我就出國去了呀！病治不好，我死了活該；病治好，我就在美國享福，我才不想回來呢！」

邵品雯看何曼玲一副無賴又貪婪的樣子，氣得不想理她，然而為了解決事情，品雯耐著性子說：

「好，就這麼說定，給錢的時間我會通知妳。」

「品雯？妳有沒有搞錯——她，憑什麼要我們給她錢？這麼多錢，是我們日夜奔忙一塊錢一塊錢，累積多少年賺來的。你就這麼送給她？」田老太太無法置信的尖聲質問媳婦。

「我不是不心疼這些錢，但是，您要讓祖威和立平跟她走嗎？留住他們，比留住這些錢重要吧！」邵品雯解釋。

邵品雯這一說，點出了田老太太的罩門，祖威和立平是田老太太的兩代親骨肉，比邵品雯與他們之間的關係來得更深，如果失去他們，她絕對要比邵品雯更受傷，因此她不敢再反對品雯，不過想到要損失這一筆鉅款，她還是心有不甘：

「可是，就這麼輕易的便宜了這個女人嗎？我早就料到，這沒良心的女人，打一開始就是存心來敲詐勒索的。只是我沒料到她竟然獅子大開口，要求這麼多錢，真是太可惡了！起碼也要砍她一半，哪能就照單全收！」

「砍一半？那我們不是把祖威和立平的價值砍掉一半？我只希望這些錢能換來我們一家的平靜和樂，錢，再賺就有了。」邵品雯堅毅的表示。

何曼玲沒想到節儉成性的邵品雯，會這麼爽快的答應付出這麼一大筆錢，反而愣住了，她以質疑的眼光盯著邵品雯看，看著，看著，忽然眼睛濕潤了，帶著哽咽的聲音說：

「我會遵守約定，不再出現，也請妳繼續疼愛立平！」

田老太太見了，十分反感，嫌惡的說：

「妳有沒有搞錯？該哭的是我們吧！平白損失半生的積蓄！」

「我就要與親生兒子永別了，當然會難過啊！」何曼玲拭著淚說。

「別演戲了，敲詐得逞了，還裝可憐？我真希望妳真的患了絕症，不得好死！」

過了幾天，邵品雯湊足了錢之後，便約了何曼玲見面。

「請妳在承諾書上簽字。」邵品雯要求何曼玲。

「喔，寫得真是詳細周到，我倒像是在賣丈夫兒子呢！」

「祖威早就跟妳沒有夫妻關係，妳頂多只能稱他為前夫，立平在法律上也早就不歸妳撫養或監護了，給你錢只是讓妳更死心，不要再來騷擾他們。」

何曼玲簽了字、收了銀行本票，燃起一枝菸，悠悠的說：

「大家都說我很愛錢，其實，誰不愛錢呢？如果不是那些愛錢的人逼著我向我要錢，我又何必愛錢？從小，我看到米店、藥鋪、雜貨店的老闆，還有親戚、朋友、鄰居們，不斷的到家裡來要錢，逼得父親沒日沒夜、無止境的工作、再工作，以致於精神不濟的從工地鷹架上摔下來。雖然沒死，但是不能再賣勞力，又沒有一技之長，只有去賣禁藥。」

何曼玲吐著煙，聲音中聽不到激烈的感情起伏，倒像是在說別人的故事：

「偷偷摸摸提心吊膽的，也只敢少少的零星的做著不法勾當，僥倖的過了幾年，窮困依舊，倒是身為長女的我，收了田祖威送來的聘金，稍稍鬆解了家裡的拮据。可是我沒想到，田家原以為這筆聘金會被退回，期待落空之後，我便被婆婆冠上貪婪、要詐的罪名，因為祖威對我友善、幫我說話，我又增加了狐媚妖惑的罪名，我在田家的日子，妳可以想見。不過，這並不是我遺棄兒子的理由。我父親因為賣禁藥東窗事發去服刑，我無法坐視罹癌的母親和三個年幼的弟妹生活無著，又不想把田家牽扯進去，才決定暫時離開田家，沒想到，卻永遠回不去了……啊，我說這些作什麼，妳又不見得愛聽。走了，再見啦！」何曼玲捺熄香菸，拎著皮包離去。

邵品雯以為事情終於解決，一家人可以恢復平靜生活了。

誰知道，才兩個月，何曼玲又向田家投擲一顆炸彈。

那天晚餐時，田祖威面色凝重的宣佈：

「曼玲打電話來，要求我們收養何欣欣。」

「什麼？收養何欣欣？這是怎麼回事？」邵品雯像被拳擊手重擊了頭部，腦袋發昏。

「怎麼回事？很簡單易懂，她不要那個女兒了，我早就說過她是個連親生骨肉都不愛的女人。每次光生不養，隨便一丟，然後走人。不想養就不要生嘛！

以為這裡是收容所啊！」田老太太一腔不滿，說起話來不顧其他。

「媽──」邵品雯像婆婆示意，想制止婆婆再說下去，因為她發覺立平神情有異。

「噯，立平啊，你是田家的骨肉，住在田家是天經地義的事。那個叫什麼何欣欣的，可不同了，那是跟田家毫無關係的人，我們可不能隨便收容。」田老太太解釋著。

「他跟你們沒關係，跟我卻有關係。他是我同母異父的妹妹，就像立安跟我是同父異母的兄弟，我……」立平的臉漸漸漲紅。

邵品雯趕緊出言安撫：

「我知道你的想法，我們會考慮這個問題，但是我們要先明白她那邊的意思、作法，還有欣欣的想法，我們要弄清楚。」邵品雯安撫著立平。

「鈴──」電話鈴聲響得正是時候，讓大家暫時擱置了不安。

「品雯，關於欣欣的事，妳聽祖威說了嗎？這件事一定要拜託妳。」是何曼玲打來的。

「妳承諾過要到國外去，不再打擾我們的。」邵品雯不客氣的說。

「是沒錯啦，可是拖著欣欣我走不開呀！所以我要請妳收養欣欣，我才能履行承諾呀！」

「我們的約定並沒有這一項，欣欣是妳的女兒，妳照顧她是應該的，怎麼能把她當成累贅呢。」

「人有時候會有不得已的苦衷，不是想怎麼樣就能怎麼樣的，算我求妳好不好？妳就答應了吧！再說，我如果能早一點離開這裡，對大家都有好處的，不是嗎？」何曼玲又耍起賴皮的招數。

「我要考慮考慮。」

「那我等妳回音。」

田立平卻等不及了，隔天放學後，便帶著何欣欣回家。

「媽，我把欣欣帶來了，請妳讓她住下吧！」

「立平，你，我……」邵品雯知道這事牽扯太大，不能輕易決定，心裡還沒有準備，但又不好當面責罵立平，也不能馬上拒絕欣欣，以至於顯得有些不知所措：「先把東西放下來，去洗個手，我去告訴奶奶！」

邵品雯到陽台去找正在澆花的婆婆。

「什麼？那女人今天就讓立平把那野種帶來？」田老太太丟下噴水壺，邊走邊罵：「再怎麼說，這事都由不得她耍老大，哼！竟然不等我們同意，就——」

田老太太忽然停住了。

客廳裡的小女孩，出乎意料的漂亮，烏溜溜的大眼睛黑白分明清澈萬分，娟秀的臉蛋白裡透紅，俊挺的鼻子，配上小巧的嘴，模樣可愛極了。

田老太太不相信似的，睜大了眼，小心翼翼的趨前問道：

「妳──就是何欣欣？」

小女孩點點頭，依著立平的指示，站起來叫了聲「奶奶」。

「哦，好，妳幾歲了？」

「我今年八歲。」何欣欣溫婉有禮的回答。

「奶奶，我不放心，打電話給她，她說她快要沒有家了，我就把她帶來了。」

「可是，你們……大人知道嗎？」田老太太怕沾上誘拐擄人之類的嫌疑。

立平謹慎的向田老太太報告。

「媽媽不在家，不過我有留一封信給她，說我不回去了，請她不要找我。」

何欣欣說。

「她也許會說我們誘拐小孩呢！」

「不會的，她已經不要我了。」何欣欣垂下長長的睫毛，眼眶和鼻頭紅了：

「她說她要出國去治病，如果不把我送給別人收養，就只能跟她一起死。可是，大家都被她騙了，她其實是要去結婚。」

「結婚？妳怎麼知道？」

「昨天半夜，她以為我睡了，就打電話去美國，和那個保羅說，等她把我送給別人收養，就可以去美國和他結婚。」何欣欣說著說著，淚珠就撲簌撲簌的滾落臉頰。

「妳沒聽錯？」

「她還說不會帶拖油瓶去添麻煩，如果沒有人要收養我，就要把我送到孤兒院。我不會聽錯，因為她說了好幾遍，叫保羅要相信她。」

「她怎麼可以這樣！妳，不會聽錯嗎？」

「我不會聽錯。她後來又打電話給朋友，說她不想為了小孩而放棄幸福。然後，她又說到了美國要住在哪裡，叫她朋友去美國找她玩。」

「啊，我長眼睛還沒看過這麼狠心的女人，竟然為了改嫁，把女兒當包袱一樣，急急的甩開！」田老太太這會兒，反倒罵不出來了，只是同情又憐惜的看著眼前的小女孩。

「她騙欣欣說她生病，要去治病，我就叫欣欣不要回去，住到我們家來。奶奶，妳讓欣欣住在我們家好不好？」立平替妹妹央求。

「品雯，妳看……雖然是那女人生的，可是，歹竹出好筍，一點都不像那女人……」田老太太態度曖昧。

邵品雯早猜到婆婆心思，自己也正有此意，於是順著婆婆口氣說：

「是啊，模樣兒好，又乖巧。既然沒地方去，暫時先讓她住下吧，反正我們家也沒有女兒。」

雖然品雯、祖威和田老太太都認為，何曼玲一定會來找孩子，而且會大張旗鼓興師問罪，田老太太甚至到派出所備了案，說明田家暫時照顧何欣欣的必要性，以免到時後招惹麻煩。

奇怪的是，都過了一個星期了，何曼玲去都還沒有動靜，大家都覺得不尋常，便打電話去探探究竟。

意外的是，她們從房東那兒得到的訊息，竟然是：何曼玲已經去美國結婚了！她不但把房子退租，也把何欣欣遺棄在田家。

又一個小孩被棄！邵品雯不禁深深的憐憫何欣欣。

何欣欣就這樣在田家住了下來。由於她的乖巧伶俐，全家上下都很喜歡她，她已儼然成為田家一份子。當初大家還怕欣欣傷心，刻意不提何曼玲，現在，再也沒有人想起她了。

一年後的某天，邵品雯忽然接到一位高律師寄來的信，通知邵品雯和田祖威去面談。邵品雯納悶的對田祖威說：

「是什麼事呢？我們又沒跟人打官司，會不會是何曼玲來要小孩……」

夫妻倆懷著好奇又不安的心，按照地址找到高律師。高律師開門見山的說：

「這是何曼玲女士委託的案件，請先出示身分證明。」經過確認，高律師接著說：「這張支票是何曼玲開立，面額六百萬元，指名給邵品雯，不得背書轉讓。請妳點收，並且在字據上簽名蓋章。」

「這是怎麼回事？如果不說清楚，我們怎能無緣無故的簽收這些東西。」

「這是我的委託人何曼玲生前委託我……」

「等等——」邵品雯疑惑的打斷高律師，問道：「你剛剛說什麼生前，那是什麼意思？是誰的生前？誰怎樣了？」

「我的委託人何曼玲在上個月因為肝癌往生了。」高律師嚴肅的說。

「何曼玲因為肝癌往生？這怎麼可能？你聽誰說的？」邵品雯一個勁兒的問律師，又抓住田祖威問：「她不是高高興興的去美國結婚嗎？怎麼會這樣？」

「病情已經拖了兩年多了，她自己相當清楚，這些都是在她非常理智下，與他弟弟妹妹到我這邊來討論了許多次，做出來的決定。」

邵品雯和田祖威面面相覷，一時之間，反應不過來，思維停頓了，呼吸停住了，腦中一片空白，兩人的眼光也都一片呆滯空洞。

不知過了多久，邵品雯的臉漸漸縮皺起來，顯示出無言的痛苦，彷彿她的心正被人揪住了用力扭絞似的。

「請妳簽收吧，不要辜負死者的心意呀！」

邵品雯一聽，忽然恢復了意識，激動的大叫：

「她有什麼心意呀！她只會把我們當傻瓜！」一直乾澀的眼睛，倏地盈盈沛沛，一眨眼，豆大的淚珠成串地滴落胸前。

「我的委託人何女士對你們觀察了一段時間，並且用最卑鄙最嚴厲的方式試探過了，證明妳是最適合照顧她孩子的人，她肯定她所生的孩子在妳那兒能得到如同親生一樣的照顧與疼愛，所以十分放心把孩子交給妳。知道自己即將不久於人世，又趕緊用計將何欣欣逼往田家，希望你們收養她的女兒……」

高律師說明業務，卻像在敘述著一樁令他感動的人物事件：

「她說她不能讓你們負擔太重，於是盡她的力量提供一筆教育基金。這是她這十年來賺到的錢，扣掉前前後後替娘家還掉的債務，所累積下來的，雖然她認為比起妳對她孩子的付出，這是極少的，但她已經竭盡所能，只能做到這樣了。」

田祖威蹙著眉，一會緊咬著唇，一會搖頭，像是無法接受眼前所聽到的訊息，想要把它排斥掉，最後知道無法否定了，便在桌上重重搥了一拳，懊惱至極的說：

「何曼玲，妳太過分了，這種事，為什麼不說。妳要我怎麼對孩子說。」

看到眼前這對夫妻的表現高律師也彷彿受到感動，忍不住又說：

「她說她不能親自撫養照顧孩子，不能看到孩子長大，是她最大的遺憾，但她能遇到像妳這樣的女人，能放心把孩子交給妳，她覺得是最大的安慰，她以前常怨自己命苦，怨老天爺不公平，後來發現老天爺給了她更適合的人選，她就再無遺憾了……她真的非常感謝，謝天謝地，也謝謝你們，並祝福所有她所愛的人們。」

田祖威和邵品雯相偕離開律師事務所，走入黃昏的車流人潮中，邵品雯說：「祖威，我們不是一直說她只愛錢不愛小孩，又喜歡說謊耍賴，所以我們一直一直的防著她，不是嗎？結果呢，我們還是被騙了！」

「是啊！我們——還是被騙了！」

79年12月8日　新生副刊

飯店的老闆娘

年底尾牙需要現金紅包當獎品，王安怡切好一百萬元單子，到各部門蓋過章，來到總經理室。

「提現款？喔，要小心哦。」總經理李昌吉一面取鑰匙開櫃子拿印章，一面關懷的問道：「來半年了吧？習慣嗎？有沒有要好的男朋友？緣分未到嗎？哦！」

總經理一片好心，每次見到王安怡總問個沒完，像是多麼關心似的，可又不需要答案，王安怡還沒答上一個，他就問了下一題，有時還心不在焉的重複問。也許這只是他對部屬的寒喧方式，表達長官的關心罷了，王安怡也禮貌性支應一下而已。

王安怡等總經理蓋了章，就到銀行去。

女銀行員收了票子，熟練的驗證、核對帳卡、蓋戳章、取鈔、點鈔…忙碌中還能跟同事聊連續劇：

「有些男人存心欺騙女人，幹了壞事也不臉紅，還自以為神通廣大。」

「是女人軟弱，吃了虧也不敢說，那些男人才越來越囂張」。

「要像女主角一樣，狠狠的報復，看了才過癮！」

「我老公說那些連續劇太誇張了，男人沒那麼壞，我說必定有。我們為了這個幾乎吵了起來呢。」

「王小姐——」王安怡被提醒確認金額後，把現鈔放入皮包，步出銀行。

王安怡想，那些女人罵著男人有多壞，卻又喜歡談男人；說跟老公吵架，眼角眉梢卻透著甜蜜，真是厭惡男人，還是在炫耀她有男人？

愛情方面交了白卷的王安怡，從石門鄉下漁村到台北讀大學，畢業後留在台北做事，換了幾個工作，轉眼即將三十而立。每次回石門漁村，父母便要她相親，讓她煩得不敢回故鄉。

她不是不想結婚，但是小說、電影看多了，老嚮往著羅曼蒂克的情節：驚鴻一瞥、意外邂逅、熱烈追求、深濃誓言……當然，男主角必定是英俊挺拔、睿智多金；女主角呢——她明白自己只是漁村女，但，故事女主角不多是貧窮苦命卻溫婉可人的嗎？至於長相，她的姿色氣質，在學校、在職場，都是數一數二的。這樣的她，怎麼甘於放棄夢想，隨便嫁個漁村鄉下人呢！而城市裡，就算有幾個條件不錯的男士，卻少了幽默情趣，追求過程呆板笨拙，比鄉下人高明不到哪兒去，連最基本的，為女士開門、拉椅子、穿大衣都不懂，更別說雨中散步、窗前獻花、沙灘撿貝殼，或是月下哼小夜曲了。因此，她的芳心至今仍然寂寞孤單。

公司和銀行，兩棟大樓後門有巷子相通。王安怡轉進小巷，想從後門進入公司。

拐角忽然衝出一台機車，騎士在剎那間奪去她的皮包，快速離去。

王安怡愣了幾秒，回過神才大喊：

「搶劫啊——」她邊喊邊追，卻已不見歹徒蹤影。

她驚慌著急得快昏倒了，卻只能無助的的站在巷口，不知所措。有幾個路人圍上來關心：

「搶劫嗎？人呢？跑了嗎？」、「往哪邊跑？」、「有沒有看清他的臉？」、「騎機車嗎？有沒有記下他的車號？」、「被搶了多少？報警了嗎？」

圍觀者一連串的問，讓王安怡的眼淚忍不住掉下來，終於掩面哭了起來。

忽然一個熟悉的聲音從人群中傳來：

「咦，王小姐！妳怎麼啦？」

王安怡一看是總經理李昌吉，像溺水者碰到浮木般伸手抓住他：

「總經理——我被搶了——我——」王安怡一時間不知從何說起。

「我們先回去吧！」總經理向圍觀群眾說：「是我公司同事，謝謝你們，我會處理的。」說要回去，總經理卻扶著王安怡上了計程車。

王安怡抽抽噎噎的哭著，李昌吉拍拍她的肩膀：

「別哭了，把經過說清楚，我替妳做主，別怕。」說著遞來一條手帕。

王安怡安心不少，一五一十把情形說了。李昌吉聽完沉思一會兒，說：

「有沒有看清歹徒和機車的任何特徵或車號？」

「我只記得他帶黑色安全帽，車子顏色和車號都沒注意，我嚇得快死掉了，只想一直追。」

「嗯，在那種情況下要保持冷靜是很難的，何況歹徒作案常把車牌拿掉。」

「總經理，我怎麼辦？」

「這是遺失公款…唉，妳也太粗心了，每次提款，我都一再提醒妳要小心，妳卻喜歡獨自走那條暗巷！」

「總經理，我…怎麼辦？」王安怡的心又慌亂了起來。

「這件事不容易處理，恐怕不是賠款就能了事──遭歹徒搶劫是既沒人證，又沒物證，別人會說妳監守自盜、挪用、虧空之後再謊報被搶……」

「剛才那些人可以作證，可以請警方調查呀！」

「唉，妳太天真了，那些人沒有目擊吧！再說，那些人姓什麼叫什麼，去哪裡找他們出來？他們只是圍觀妳的狼狽相，誰會出面作證沒親眼看見的事？還有，妳報警，卻無法提供線索，巷子裡又沒有監視器，警察願意調查一件無頭公案嗎，查得出來嗎？更值得考慮的是，報警之後，不光彩的話題上報紙上電視，公司還敢留妳嗎？別家公司敢用妳嗎？最令人擔心的是，歹徒怕妳報案指證，乾脆把妳……」

「我是真的被搶，我沒說謊啊──」

「我相信，可是許多人包括董事長，都是小心眼兼疑心病。光天化日，在鬧市，又沒有目擊者，說被搶是很難取信於人的。」

「那我怎麼辦呢？總經理──」王安怡著急的求救，顧不了平日裡她和總經理並不是那麼親近。

「我想想看，……公司可能會控告妳，向妳求償！」李昌吉沉吟著。

「我願意賠償，但希望不要被冠上罪名！」

「妳的月薪才多少，付房租、寄回家還剩多少！一百萬元妳賠得起嗎？」總經理同情的說。

「我可以標會，向朋友借一點，加上一些儲蓄……」

李昌吉忽然不疾不徐的，堅定的說：

「那樣太麻煩，也來不及——這樣吧，對妳來講是大數目，對我來講是隨手可以調動的，我就幫妳先墊，讓妳回公司報帳。當做是我私人的款子被搶，我去報警，等警方查獲追回，我也沒損失。把事件壓下來，妳就沒有虧空挪用的嫌疑，這麼做好不好？」

「萬一追不回來……」

「比起妳的清白名節，一百萬元算什麼，只要妳不被中傷、不吃官司，我認為值得。」

王安怡沒想到總經理如此善良又熱心，竟感動得哭了。

「妳不必感到太歉疚，警方我有熟人，相信可以很快查個水落石出，物歸原主的。我們先去提款，儘快趕回公司，免得大家起疑。」

王安怡這才止住淚水。李昌吉提了款交給王安怡，說：

「喔，十二點了。你我有緣成為同事，又湊巧有機會共患難，可說是命運共同體了。我想請妳吃午飯，但怕妳說我趁人之危，藉機佔便宜，我反而說不出口，妳還是快回公司吧！」

王安怡覺得有一股悸動溫熱地擴散全身，她發現，五十幾歲成熟穩重的男人也能那麼迷人！

跟一個人共有秘密是很刺激的事，尤其是跟迷人的異性上司。王安怡雖然背負還款壓力，不過，她並不如預期的難過和沮喪，反而自那天起，上班得特別起勁。因為那件事之後，她和總經理之間產生了微妙關係，每次碰面，互相投注一個眼神，牽動一個微笑，不假言語，彼此就能心領神會。

這美妙的氣氛令她好興奮，越來越注意修飾儀容。

有一天總經理召見，告訴她：

「我把妳被搶的事提到董事會，我說讓女職員單獨去存、提現金，等於引誘歹徒，到時候若要保護公款，說不定連命都沒了；若不保護公款，又得吃罪、賠償，所以我墊款私下解決。我請董事們重視這個問題，結果董事們被我說動了，不但要研擬保障法規，也成立意外支出基金，在預算下提撥補償。不過，因為是破例，怕被有心人拿去操作，反而謊報遭劫來向公司詐領經費，所以公司交代不可以傳出去，妳更要保密，當作沒有這件事。」

「這筆款子我可以不必還了？」王安怡半信半疑。

「嗯，所以妳不要再標會借錢什麼的，以免引起疑心！總之，這件事算是過去了！」

「太好了！」王安怡臉上洋溢著真誠的喜悅。

「現在我可以坦然邀請妳了，一起去慶賀吧！今晚七點萊茵河畔餐廳如何？」

王安怡爽快的答應，輕快地走出總經理室，要付出的錢不必付出，就像是撿到錢一樣令人高興。

男同事看了，對王安怡說：

「高興什麼？有約會嗎？是該努力找個好對象了，別成了老處女。」

工讀生小妹路見不平的說：

「現在流行不婚主義，單身貴族也可以過得很自在，你不懂啊！」

男同事聳聳肩攤開手：

「別說我沒提醒妳們哦！好心沒好報！」

王安怡的好心情沒受到影響，腦中浮起總經理穩重仁慈的眼神，她越來越喜歡那眼神，想到今晚約會可以好好看個夠，嘴角不禁揚起一抹微笑。

可是，當她坐在充滿法國浪漫情調的餐廳雅座，李昌吉的眼光投射過來時，她卻只能低下頭努力壓制急速跳動的心。

「我要感謝那個歹徒。」李昌吉忽然冒出這句話。

「為什麼？」王安怡明知故問，因為她想聽李昌吉接下來的說辭。

「沒有他，我不可能和妳面對面吃飯、聊天。」

「總經理要跟誰吃飯，就是誰的榮幸和福氣，沒有人會拒絕吧？」王安怡想進一步逼李昌吉說出更確切的話。

「很多飯局是應酬。今晚不同，跟妳在一起，有一種說不出的感覺，我好像回到年輕時的情懷。也許妳不信，從妳進入本公司，我就深深被妳吸引了，但是我只能遠遠欣賞，現在能單獨相處，不是該感謝那個歹徒嗎？」

王安怡垂下睫毛，避開李昌吉深切的注視，抿著嘴唇，深怕一不小心讓小鹿亂撞的心蹦了出來，紅雲也早已浮上兩腮。

「我冒犯妳了？」總經理小心的問。

「不，我只是——」她急忙否認，卻結結巴巴說不出話來。

總經理趁機握住她的手撫拍著安慰她：

「我想妳不會怪罪一個欣賞妳的人。」

王安怡慌亂的不知道要不要把手抽回來，總經理已經適時的放開：

「別儘說話，好好享用美食吧！」

王安怡在愉快又感激的心情下，破例喝了不少酒。

用完餐，走出「萊茵河畔」，酒精發揮了作用，王安怡覺得一陣飄飄然，還沉浸在濃濃的羅曼蒂克氛圍，不想回到那外面吵雜裡面孤寂的租屋，於是問道：

「接下來去哪裡呀？」

「啊？」正想著如何續攤的李昌吉料不到她會主動開口，一陣驚喜。

「不覺得現在還早嗎？請我去喝酒怎樣？」微醺的她歪著頭問。

「剛剛不是喝了？妳還可以嗎？」

「我都幾歲了，有什麼不可以，只有男人能喝酒嗎？其實，我一直想看男人喝酒的地方，聽說裝潢豪華，陪酒小姐美麗妖艷，喝酒大爺出手闊綽，我自己不方便去，也消費不起，您帶我去開開眼界嘛！」王安怡對李昌吉不但沒有戒心，反倒有一種富家女對闊爸爸撒嬌的任性。

「好，既然妳說了，就帶妳去見識。」

王安怡如果知道接下來所發生的事會改變她的一生，她就會收回這提議，此刻喊卡還來得及，但她沒有，因為她太單純，也太愚蠢了。

李昌吉帶她去一家酒廊，懷著異樣的心情，在李昌吉熱情的勸飲下，她豪氣爽快的喝了一杯又一杯……

「喂，起來，該回家了。」李昌吉搖著攤在沙發上的王安怡。

「我不要回家，我要喝到天亮。」王安怡勉強撐開沉重的眼皮說。

「可是人家打烊了。」

「我不管，我不要回家，那算什麼家，又小又熱又悶，自己一個人又無聊……」

「那我們再換個地方，這裡要清場了。」李昌吉半哄半勸半拖半扶著王安怡，進入一家賓館。

半夜酒醒，王安怡披散著蓬鬆的長髮，伏在枕頭上嚶嚶啜泣，光滑的背脊裸露在毯子外抖動。李昌吉撥開她的長髮吻著她的頸項說：

「請原諒我，我以為妳願意。」

「我願意？你以為？天哪！我怎麼會願意——」王安怡咬著枕巾低叫。

「是啊！妳是那麼純潔美麗，年紀比妳大一倍又有家室的我，怎麼敢妄想，可是妳吵著喝酒，酒後又……我以為妳……啊，我會錯意了！我真該死！」

李昌吉懊惱的說：「儘管罵我打我吧，我願意接受任何懲罰。」

就算懲罰了他，又能找回些什麼呢？他說得沒錯，她依稀記得是自己要求去喝酒、不想回家，她非常明白她真的不想回家，想要有個地方逗留。可是——她並沒有說願意跟他發生肉體關係啊！

在王安怡眼裡，李昌吉風趣又體貼，因為不平凡的邂逅結了緣，自然對李昌吉有一份好感與信任，所以她願意跟他多相處。不過，男人為什麼認為女人願意跟他喝酒聊天就是願意跟他上床呢？

才第一次喝酒就——太快了，她根本還沒準備好，就算他們有發展成為情人的可能，就算這是他們的約會，也只能算是第一次，怎麼就——實在太快了，快得讓她悵惘，快得讓她生氣，氣他急於佔有她的肉體，她甚至憤怒的想：「難道他以為這是我要的？」

王安怡想了很多，可是想再多也於事無補，事情已經發生了，怪別人會錯意又有何用，應該悔恨的是自己為什麼要表錯情。

「我知道怎樣也彌補不了，可是我發誓我會好好愛妳，會對妳負起責任。」

「負責任？娶我嗎？」

「只要妳願意，我什麼都肯做！」

看到李昌吉的誠懇，反倒使她愣住了，好一會兒才深深嘆氣：

「唉！是命呢？還是我欠你的？」

在李昌吉溫柔安慰下，王安怡不再生氣，柔順乖巧的依偎在他懷中。

時間過得真快，王安怡成為李昌吉的情婦將滿一年。

雖然李昌吉口口聲聲說愛她，要娶她，事情卻不如想像的簡單，很顯然的，他離不了婚。他們不只一次的談論這事。

「我們麼時候可以光明正大的在一起？我厭煩了這樣偷偷摸摸！」

「可是她沒犯什麼錯，我怎麼開口？孩子的問題也得考慮。財務方面更令人頭痛，公司過半股權在她娘家，董事長是她兄長。」

「所以你放不開這條裙帶。」

「我不是婚後靠裙帶關係當上這個位置，是她父親老董事長看中我的能力，怕我跳槽，才極力促成這段婚姻，是他們拴住我，不是我攀上他們。雖然也想過自行創業，但年輕時苦無資金，如今有了底子，卻失去了拼勁和冒險的勇氣，畢竟歲月無情啊！」

「難道讓我這樣過一生？」王安怡嘆氣。

李昌吉滿臉羞愧的說：

「我不該這麼自私，妨礙妳追求幸福。如果妳有好對象，雖然我會心碎，還是會祝福妳。」

她感受到他的善良，又怕他拋棄她，竟然說出令自己訝異的話：

「你不要太勉強，只要能跟你在一起，我不在乎名份。」

「妳真好，太委屈妳了！我一定要補償妳。」李昌吉似乎安心了。

補償？就是買些衣服皮包首飾、帶她去旅遊，繼續讓她當小三嗎？這不是她要的！但一句「不在乎名份」讓她又失了一城，節節敗退的她再無反擊能力！她感到一陣悲涼。

這天李昌吉要到高雄跟一位開發案地主陳川見面，他找王安怡一起去，說要帶她體會不一樣的南台灣溫泉。

這個開發案談很久了，陳川也多次由兒子陪同，到過公司，王安怡跟他們也有數面之緣。其實公司和地主已經取得共識即將簽約了，王安怡沒聽說李昌吉和陳川有那麼熟，不明白他私下找陳川的目的是什麼，問他，他也只是神秘的微笑。

到了高雄，上了地主兒子的車，來到屏東車城郊外陳川經營的溫泉飯店，這是溫泉區內最具規模的大飯店。陳川親自接待，他讓李昌吉入住最豪華套房時，以曖昧又理解的口氣說：

「只要一間吧?!」

王安怡覺得羞辱又無奈，只能假裝沒聽見的撇過頭去，卻發現地主兒子一直同情的看著她，她忽然莫名的臉紅心跳。陳川見狀，趕緊吩咐兒子帶王安怡去認識環境設施，讓他和李昌吉談點事。

地主兒子帶王安怡看了飯店設施，包括東南亞最大溫泉人工 SPA 瀑布、溫泉 SPA 池，藥浴池、冷泉池……王安怡發現外表木訥的他，說起自家事業，可是侃侃而談，不得不對他另眼相看。

回到房間時，地主陳川和李昌吉的談話好像也告一段落，正在整理茶几上的物品，李昌吉從他的名牌格紋旅行袋中，取出摺疊成一小方塊的黑色防水布旅行袋，抖開之後，是價錢很便宜但容量很大的揹提兩用袋，這違反了李昌吉一向愛用名牌的風格，已經引起王安怡注意，而接下來李昌吉急急忙忙把茶几上一包包物品收進旅行袋的神情，分明是表示他有事不讓王安怡知道，更讓王安怡惱怒，也引發了她的好奇心，認為這些東西有問題，他才需要掩掩藏藏，但她力持鎮定，不動聲色。

晚餐時，李昌吉特別興奮，王安怡判斷可能跟旅行袋裡的物品有關。他比平日喝得多也喝得急，很快便舌頭打結、語無倫次，地主兒子和服務生共同攙扶，才把站不穩走不動的他扶進房間。

不久李昌吉就發出酣聲，王安怡推了推他的身體，在他耳邊喊他，見他沒反應，確定醉得不醒人事之後，拿出黑色旅行袋。

王安怡看到旅行袋裡的東西了——好幾疊高面額的歐元、美元、英鎊現鈔，這已經快把旅行袋塞滿了，還有幾本旅行支票，另外還有一只金飾盒裝著十幾顆裸鑽！

王安怡呆了，這些東西，怎麼會在這種地方、這種時間、同時的出現在這裡？在她的財經會計知識和經驗中，這些東西是分散風險常用的所謂的洗錢工具啊！李昌吉，他怎麼會有一整袋這些東西？

王安怡去向地主兒子探問。地主兒子似乎早就等機會告訴她真相，他說：

「他代表公司出面購買土地時，要求我們向公司抬高三成報價。」

「回扣三成？拿這麼多很危險吧？」王安怡知道商場有陋規，但數目太大讓她詫異。

「他外表慈善，但心機很重，做事周密，應該沒問題。」

「心機很重？想不到……」

「妳想不到的才多呢，妳太不瞭解他了！比起索取回扣，他還做過更過分的事呢──原先我還猶豫著要不要講，但他做得太過分了：毀人名節、騙到手又不負責任、還到處宣揚自己手段高明！這種行為我真的看不下去了！我覺得妳不該受到這種對待！」地主兒子下定決心爆料：「妳那次被搶，是他設計的，是他編導的劇碼──教人來搶劫妳，再出面來救妳，妳被搶的錢回到他手中，拿給妳時，還說是他私人墊款！」

王安怡無法置信，懷疑地主兒子的造謠別有用心，狐疑的看著他：

「你怎麼知道？」

「是他親口說的，洋洋得意的向我們炫耀！」

王安怡無言，回憶著：難怪他出現的時機那麼巧！又不准她報警，又墊錢幫她，雖然對他來說不是大數目，也沒有義務這樣犧牲啊！可是，他為什麼要這樣做？

「因為他想得到妳，所以演出英雄救美。想不到效果奇佳，妳感激到以身相許、不計名份、死心塌地，讓他得意到極點──妳這樣委屈自己順從他，知道的人都替妳感到不值！妳涉世未深識人不明，才會以為他是好人。」

從台灣頭到台灣尾，在地圖上是直線下降，對王安怡，也像是遊樂園大怒神的急速直線下降，心臟都快要蹦出來了。一百萬元，虛擬的一百萬元毀了她的一生！

南台灣日夜溫差大，涼風習習，吹拂著王安怡破碎的心。許久，她才拖著沉重的腳步艱難的回到飯店房間。

房間瀰漫著酒精經過人體代謝呼出的臭氣，李昌吉的酣聲平穩而均勻。王安怡沒開燈，坐在黑暗中瞪大眼睛想過去、想未來，不知過了多久，才想到現在她必須先求證。

她用力推搖李昌吉，在他耳邊叫他。雖然酒精尚未完全退去，李昌吉的意識已經稍微清醒。當王安怡問起「假搶劫」事件，他反問：

「妳是怎麼知道的？是那個土財主爆發户田僑仔告訴妳的？」

「那麼他們說的是真的囉！你為什麼要這麼做？」

李昌吉並不否認，反而振振有詞：

「我太喜歡妳了，不得到妳誓不罷休！才會編導一齣假搶劫，這麼做有錯嗎，為了一親美人芳澤，唐伯虎假扮書童，我假扮英雄，古今輝映，都是佳話啊！」

「假搶劫搶了我一百萬元，真搶劫卻搶了我的人生。」王安怡心中吶喊。

王安怡確認「假搶劫」事件無誤之後，反到平靜了下來，對李昌吉說：

「這裡偏遠，不會碰見熟人，可以徹底放鬆，盡情享樂！我們來玩點不一樣的吧！」她邊說邊脫下衣服。

「哦？玩什麼？」李昌吉一聽，色心大發，任由擺佈。王安怡幫他脫去衣物，用浴袍腰帶、絲巾、領帶、皮帶，把他五花大綁固定在床上，李昌吉很期待的說：「想不到妳也喜歡SM，妳該早說的。」

當王安怡拿出手機拍照，李昌吉還很得意的笑說：

「妳也來一起拍吧，保證精采。」

王安怡真的配合拍了照片，之後她用毛巾塞住李昌吉嘴巴，拿出黑色旅行袋，把歐元、美元、英鎊、旅行支票、裸鑽攤在床上，又拍了幾張。

這時李昌吉發覺不對，因為王安怡把東西收進黑色旅行袋後，開始束裝整理儀容。李昌吉驚慌得酒都醒了，張大眼睛全身扭動、四肢用力想掙脫綑綁，嘴裡則因為塞著毛巾，只能發出沉悶的咿咿唔唔聲。

王安怡冷冷的說：

「沒錯！我要走了！謝謝你送給我的這一年來所有的一切，包括這個旅行袋！你不會傻到去報案追查這些東西吧？你藏都來不及了不是嗎？我也有東西要回贈給你，我會把剛才的照片傳給你，你的裸體、臉孔、男女合照還有外幣、旅支、裸鑽都拍得很精采，尊夫人、董事長或八卦週刊應該會有興趣。」

王安怡揹著旅行袋，走到門口又回過頭說：

「對了！有些事我需要馬上處理，你呢，就好好休息省點力，不要掙扎浪費精神。我已經在門口掛上請勿打擾的牌子，房間電話、你的手機也斷電，待會兒我還會再次當面交代櫃檯，明天中午過後才能來叫醒你！」

王安怡走出房間，走出李昌吉的生活，走向新的人生。

三年後，經過規劃設計動工興建，地主陳川賣出去的地上，蓋好了一批社區住宅，李昌吉代表公司前來參加落成典禮。典禮上，他遇見了前來觀禮的地主兒子。

令他驚訝的是，當年黑吃黑捲款逃走讓他遍尋不著的王安怡，竟然也出現在嘉賓席上。她很大方的走近他，微笑著對他說：

「好久不見，李總經理別來無恙？聽說當年尊夫人和董事長不相信你被劫財劫色，硬說握有證據證明你貪財好色，把你架空看管，讓你像行屍走肉，不能再呼風喚雨，是嗎？還真浪費人才呀！」

「少說風涼話，這一切都拜妳所賜，妳別得了便宜還賣乖——」如今事過境遷，李昌吉知道翻舊帳也無濟於事，只是當年他在氣頭上查過王安怡沒有出境，也在全台找透透，都沒找著，他忍不住問：「妳怎麼會在這兒？」

「我覺得南部人真誠純樸，所以一離開台北，就到這家飯店來工作。」

「三年來妳一直在這裡？」他不敢置信，找遍全台獨獨忽略了這裡，想不到燈塔之下最黑暗，最危險的地方最安全，她竟然一直在這兒。

在一旁的地主兒子，忍不住發話：

「沒錯！安怡一直在飯店裡管帳，以前是幫『我』管帳，現在是幫『我們』管帳啦！」地主兒子說到『我』的時候指指自己，強調『我們』的時候，順手緊緊攬住王安怡。

這個鄉下沒水準沒氣質的——李昌吉連他的姓名都不想知道的爆發戶，笑得燦爛，李昌吉的臉卻好像被誰畫上三條線似的黑了一半。地主兒子還生怕世人不知道他的幸福和幽默，再次解說：

「我父親往生之後，我繼承了這個事業，我現在是飯店老闆，安怡是飯店老闆娘啦！」

78年4月17日　中華時報副刊

那不停的嗡嗡聲

下了班回到家的邱彬，脱下西裝，交給妻子陸婷，換上休閒服，邊往媽媽的房間走去，邊問道：「媽媽的房間有沒有整理？」

「有，每天一定整理的！」陸婷掛好衣服，看丈夫即將進入媽媽的房間，提高音量提醒丈夫：「就要吃飯囉！」

她之所以這麼叫，是不希望丈夫在媽媽的房間逗留太久。

沒錯，這間「媽媽的房間」是邱彬為他母親準備的，可是，他母親別説住，連看也沒看過，甚至，一直到她老人家因為車禍在醫院孤獨的死去，都不知道她兒子為她準備了房間，而且是豪華的樓房。陸婷曾聽丈夫説，一輩子都住在簡陋平房的婆婆，十分羨慕住「樓仔厝」的人，所以，在樓上為婆婆準備了一個房間。矛盾的是，邱彬不願意請婆婆來同住，連説一聲都沒有，也不准陸婷説，至於是什麼原因，陸婷並不知道。

邱彬進入媽媽的房間一看，果然打掃得一塵不染，他來到精緻的神案前，熟練的打開一只漂亮瓷缽，用小匙舀起一些檀香粉末，添加在亮澄澄的銅香爐裡，然後對著母親遺照下跪垂首合掌，濃郁的香氣隨著煙霧裊裊縈繞在貴重精美的相框前。母親年輕守寡，辛苦的養育自己，自己學成就業之後，卻沒有接她來同住，人子晨昏定省之孝，他一天也沒有盡到。想到這一點，他不禁一陣鼻酸。

在愧疚中哀思良久，忽然，一絲細微的嗡嗡聲，劃破靜默，邱彬一驚，抬頭搜尋，狐疑的忖度：這麼乾淨清潔的屋裡，且又薰著上好的香，怎麼會有——他極不願意如此猜測——怎麼會有蒼蠅？

理論上是不該有，然而，實際上他不但聽到了那嗡嗡聲，此刻他還看到了那可惡的小東西忽上忽下忽左忽右的，神氣的飛翔著呢！

邱彬一躍而起，循著嗡嗡聲追捕，幾次都撲了空。

「彬，吃飯了！」陸婷的呼喚聲從樓下傳來。

看邱彬沒回答，陸婷便逕自上樓。門一開，陸婷被嚇了一跳。

「飛出去了！都是妳害的！」邱彬右手握著一隻拖鞋，惱怒的瞪視妻子。

「什麼飛出去了？」

「蒼蠅，一隻蒼蠅，我就快打到的！」

「不可能吧？」

「怎麼不可能！只要妳不開門，牠絕對逃不掉的！」邱彬深深的埋怨。

陸婷帶著歉意說：

「我不是說你不可能打到蒼蠅，而是說不可能有蒼蠅，這裡沒有招來蒼蠅的東西呀！」

「妳懂什麼！」邱彬把拖鞋穿回腳上，恨恨的走出去。

下了樓，邱彬掃視了寬敞明亮的客廳，和整潔乾淨的餐廳，悻悻然說：

「這下子要抓到牠可難了！」

「既然飛走了，就算了吧！」陸婷根本不相信有蒼蠅，認為丈夫弄錯了。

「算了？怎麼能算了？妳知道牠那惹人厭的大凸眼有多邪惡嗎？妳知道牠那毛刺刺的腳有多污穢嗎？」邱彬皺著眉，抑制從胃裡翻騰上來的噁心，在昏眩中，他彷佛看見一雙男人毛刺刺的污穢的腳，趿著拖鞋，走近他和母親居住的低矮老舊的家，那對惹人厭的大凸眼盯著母親直看——那是父親死後第三年，小學都還沒畢業的他，敢怒而不敢言，只好咬咬牙告訴自己：「算了！」

現在他是知名的陸氏企業的總經理，怎麼能就這樣算了？

「不算了又能怎樣？你追牠躲，根本抓不到。」陸婷不想繼續談這個話題。

「至少不能讓牠太囂張！」是的，沒錯，不能讓他太囂張！不管那些賣豬肉的同業們，在父親死後如何的照顧他們孤兒寡母，如何的鼓勵母親接續父親遺下的豬肉攤子；如何的協助母親撐持生意；如何的幫忙母親解決困難，他也不能任由他們大模大樣的坐在父親生前專屬的那張舊沙發上抽菸剔牙——還盯著母親直看——不，不能任由他們太囂張！

「一時半刻的也抓不到嘛，先吃飯吧！」陸婷溫和的勸說。

「我一定會找到牠，消滅牠！」他強烈的不滿和除之而後快的堅毅，當時母親一定是注意到了，所以，家裡清靜了，那些蒼蠅般令人作嘔的男人不見了。可是，唉！後來他才知道，看不見並不等於不存在。

「看著吧，我會找到牠的！」他暗自許諾。

不過，一個月過去了，邱彬並沒有找到任何一隻蒼蠅，人卻整整瘦了一圈。他的妻子陸婷憂心的說：「你找了一個月，找遍每個角落了，都沒有找到，可見家裡沒有蒼蠅啦！」

「有，一定有，我還經常聽見牠飛過來飛過去的聲音，那討厭的嗡嗡聲！」

記得當流言四起，他去問母親時，母親還極力否認，但在一個黎明前的黑暗中，他看見母親被拉上一輛小貨車的駕駛座，兩具人影在朦朧中併成一體，而那小貨車既不熄火又久久不駛走，他重重的捶著牆壁，恨透了那閑閑的伴奏似的嗡嗡的引擎聲。

「也許是你的錯覺，誤以為家裡有蒼蠅，人常有錯覺的。」陸婷小心的說。

「偶而一次，妳可以說是錯覺，要是天天出現呢？妳還能說那是錯覺嗎？」

邱彬多麼希望他看到的只是錯覺，然而，自那次以後，正值貪睡年齡的他，體內彷彿裝了鬧鐘，每天會定時醒來，在黑暗中，靜靜看著母親躡手躡腳的出門，上了等在外面的男人的車。當兩具人影併成一體時，他告訴自己他所擔心的都是錯覺，那只不過是兩盞路燈交互投射，使人影朦朧重疊罷了！可是，謊言畢竟是謊言，騙別人都騙不過，哪騙得了自己呢，事實擺在眼前，他終於承認自己的「錯覺」是錯的。

「一再出現的事，妳能說這是錯覺嗎？」

看著丈夫的一本正經，陸婷忽然一震，驚覺丈夫不尋常的言行是如此的陌生，一點兒也不像她所認識的邱彬。當年邱彬取得美國名校的博士學位，進入陸氏企業，憑著優越的能力，穩重的態度，被父親賞識提拔重用，並擄獲陸婷芳心，成為陸氏的女婿和陸氏企業的總經理。一直以來，邱彬雖然不是熱情浪漫的好情人，但絕對是溫和體貼的好丈夫。然而，自從上個月，他「發現」家裡有蒼蠅以來，整個人都變了，變得急躁易怒，上班時精神不佳，屢屢出錯，回家來又對妻子惡臉相向。陸婷認為這一切都是蒼蠅惹起的，於是她耐著性子對邱彬說：

「你瘦了，要注意身體，公司的事已經夠你忙了，你就別再管什麼蒼蠅了！就算真的有蒼蠅，也可能死了，或是被什麼吃了，或是飛出去了，你又何必白費力氣呢！」

「是白費力氣嗎？白費力氣……」邱彬喃喃自語。父親病重時，母親為了籌醫藥費，想賣掉他們唯一勉強可供棲身的老舊平房，看到醫生搖頭的親友，知道父親的病情已經藥石罔治，而房子又不值什麼錢，賣了房子，以後孤兒寡母住哪裡，於是勸母親不要白費力氣。只見母親抱住父親瘋狂的嘶吼：拼了我的命也要救他！也許會有奇蹟呀！想到母親心碎似的吶喊，邱彬一陣悽楚湧上心頭，說：「明知白費力氣，也要期待奇蹟呀！」

陸婷不解，撲殺一隻蒼蠅，還需要期待奇蹟嗎？按捺著滿心的不以為然，企圖說服丈夫打消奇怪的念頭：

「就算奇蹟出現，消滅了這一隻，可是誰能保證不會再來另一隻呢？既然操心不完，不如不要操心！」

「是啊！沒了這個，又來那個，誰不知道呢？」大家都知道，只要到市場繞一圈，什麼話都聽得到：

——才和姓張的斷了！就又換了姓李的。

——是啊，換得可真快！新的更年輕呢！

——從機車到貨車，現在這個有轎車喔！

——聽說沒有負債了，手上幾個會都是活會呢。

——有本事嘛，男人見到她，就像蒼蠅見到肉！揮都揮不走。

——砧板上的肉本來就招蒼蠅，不用電動拂塵，根本驅趕不了！

——只有像超市賣的肉品，密封冷藏冷凍，蒼蠅才沒興趣吧！

誰來擔任那不停驅趕蒼蠅的電動拂塵呢，是他這個做兒子的人嗎？可是他無法像電動機器轉個不停，他會累的。有一次，他就疲倦得在寫功課時睡著了，睡夢中他把母親洗得乾乾淨淨，密封起來放入冰櫃，然後得意的笑著說：「這樣絕對不會再招蒼蠅了！」驚醒後，他汗涔涔地把大腿掐出一道道烏青淤紫。

陸婷看丈夫老半天沉默不語，以為丈夫被她的話打動了，滿懷欣慰的說：

「就是嘛！就算我們家再乾淨，可是外面髒，蒼蠅是無法完全撲滅的！」

想不到這話反而堅定了邱彬的決心，他從牙縫中擠出話來說：

「不管牠有多少，來一隻我殺一隻，絕不寬貸！」

說到做到，邱彬開始布下天羅地網。屋裡屋外密密實實的噴灑殺蟲劑；牆腳桌底放置黏蠅紙；門口窗戶擺設補蟲燈；還預備了好幾枝隨手可取用的電蚊拍；當然，媽媽的房間防蠅捕蠅工作更不可少，因為那兒是招來蒼蠅的禍源區，所以除了外面的措施，更要加強薰香——不薰死牠，至少要薰走牠！

陸婷再也忍不住了，開始抱怨：

「這算什麼家，這更像布滿地雷的戰場，到處都是陷阱，不小心就會踢到、踩到、黏到，還得戴防毒面具！」

那天，陸婷把所有跟防蠅捕蠅有關的東西都收走。

邱彬下班回到家一看，臉一沉，沒吭聲，整個屋子陰鬱得像暴風雨就要來臨。

晚飯在沉悶中進行，屋子裡靜得只有稀疏而輕微的碗筷碰撞聲，吃著吃著，邱彬忽然像觸電一般叫道：

「啊！蒼蠅，蒼蠅爬過的肉，沾滿病菌的肉，嘔——妳拿這種東西給我吃，嘔——」邱彬摀著嘴乾嘔一陣，又吼道：「蒼蠅停在肉上做什麼，妳知道嗎？

牠不飛時，喜歡摩拳擦掌，不，不是擦掌，是搓腳。他停在肉上搓腳，把牠從垃圾堆、糞堆上所粘帶的穢物清除下來，再不，就是停在肉上排泄，嘔──」

陸婷用筷子夾起蔥花，伸向邱彬，給他看，大聲說：

「你看清楚，是爆香的蔥花，不是蒼蠅──」

不管陸婷和趕上來瞭解狀況的女傭如何解說、保證，邱彬還是無法釋然。想到那毛刺刺的髒腳在母親細白皮膚上來回摩娑搓踢，簡直污穢噁心到無以復加！

「嘔──」邱彬又乾嘔一陣之後，忽然覺得肚子痛了起來，而且越來越痛，痛到抱著肚子彎下腰喊叫：「唉唷！痛死我了！」

陸婷剛開始以為丈夫在嚇她，或是裝疼耍賴，冷眼看了一會兒，發現丈夫全身冒汗臉色發白，急忙送他就醫，才恢復正常。

腹痛的毛病一開了頭便時常發作，換了幾個名醫檢查，卻說腸胃並無異常。陸婷開始不耐煩了：

「既然腸胃並無異常，為什麼要無病呻吟？」

「我無病呻吟？我看妳才是存心害我呢！收買女傭讓我吃下蒼蠅爬過的食物，再串通醫師說我沒病，不知道妳是何居心！」

「我們是夫妻耶，我害你，能得到什麼好處？」

「正常時是沒好處，變了心可就另當別論了！」什麼是海誓山盟至死不渝？當年，若不是眾多親友強拉勸解，母親可能已經撞死在父親棺前，那份情深和堅貞，在場哪個不感嘆鼻酸？可是，那又怎樣？父親墓碑上的漆字還油亮著，那些父親的同業，便藉著幫母親撐起肉攤生意，藉著幫母親批購屠體，不分白天黑夜的接近母親，而母親竟然也沒有多加抵抗，就節節敗退的讓那些人登堂入室了。這使得邱彬不再信奉所謂的海誓山盟、至死不渝。

「邱彬，你裝病、博同情、逃避工作，已經不應該，竟然還懷疑我變心，你不但辜負了我對你的感情，也辜負了陸家對你的提拔與期待。」

「對陸家我賣命付出，問心無愧，妳認為我該為現在的榮華富貴歡呼或是磕頭感恩嗎？」

「你對現在擁有的一切還不滿意嗎？不然你還想怎樣？」

「想怎樣？我想哭──」對，只想哭，為什麼想哭？邱彬不知道，就像當年他不知道母親為什麼哭，漂亮的寡婦，愛怎樣就怎樣，沒有公婆丈夫管，一大堆男人爭著為她服務，批貨有人幫忙，滯銷的貨還有人全部負責，她該高興的，卻不知道為什麼她要常常在夜裡幫他蓋被時，把眼淚滴在他臉上手上。

「我真弄不明白你。」陸婷不解的看著丈夫。

「唉！」邱彬嘆口氣，他不能怪從認識到現在還不滿十年的妻子不瞭解他，因為以他和母親骨肉關係三十幾年，也始終沒能瞭解母親。

邱彬的腹痛似乎痊癒了，但人卻更沉默了。

一個夏日夜晚，邱彬結束忙碌的工作回到家，躺在開了冷氣，涼爽怡人的臥房大床上，疲累使他很快的進入夢鄉。

朦朧中，邱彬覺得有蒼蠅盤旋在他頭上，他忍不住下了床，循著嗡嗡聲找去，追著追著，追進一間低矮的房子裡，陰陰潮潮的，母親正睡在木板床上，因為天氣熱，母親穿得不多，身上也沒蓋任何東西，低領口的上衣，暴露出頸下一大片細嫩皮膚，一隻蒼蠅趴在母親白皙的胸口，貪婪無恥地隨著母親的呼吸起伏。

邱彬怒火中燒，不顧一切的撲上去，唯恐被牠逃掉，撲到之後，使勁地抓住、捏、掐……

陸婷在睡夢中被一陣疼痛和窒息感驚醒，夜燈的微光中，她看見丈夫正在襲擊她，她嚇得大叫：

「啊！救命啊！」

邱彬停止攻擊，發現妻子雙手護胸，驚恐的張大眼睛盯著他。

「婷，剛剛有隻蒼蠅在妳胸口——」邱彬以手指向妻子胸部。

「蒼蠅、蒼蠅，我受夠了，跟你說過沒有蒼蠅，你不懂嗎？為了不存在的蒼蠅，搞得生活大亂，現在又幾乎把我掐死，我看你是發神經了！」陸婷餘悸猶存。

「我是想撲滅蒼蠅，不讓牠侵犯妳。」

「侵犯我的是你，不是蒼蠅，我寧願被蒼蠅停在身上，也不要被你勒死！」陸婷激動的說。

「可是？女人不是最討厭骯髒的害蟲嗎？像蟑螂老鼠之類的？」

「不錯，但是，牠不會立刻要我的命，比起死亡的威脅，髒一點又算什麼！」

「是這樣嗎？只要能活著，髒，也無所謂嗎？」邱彬喃喃自語的離開臥室。

邱彬來到媽媽的房間，在那張為母親準備、可是母親並不知道的床上躺下。

這房間在整棟房子裝潢時，就特地按照適合母親居住使用而設計施工的，然而，他從未對母親說，也不准陸婷說，當然更從來沒邀請母親來住過一時半刻。老家鄰居都說邱彬留學回來會接母親去住豪宅享清福，母親也曾經期待，但是看到兒子的冷漠，她只能自嘲，說她離不開那些熱情鄰居「老厝邊」。而邱彬雖然沒有接母親同住，每個月倒是不忘寄錢回去。

邱彬環視屋內，雖說經常打掃，此刻感覺起來卻並不是窗明几淨，而是冷清空寂。是缺少人氣，還是燈光的緣故？青白色的日光燈，看起來冷森森，邱彬改開暖洋洋的黃色美術燈。柔和的燈光果然使母親看來慈祥溫婉，邱彬看著看著，眼角忽然濕濕潤潤的，他又沒由來的想哭。

打開衣櫥，好幾款從未穿過、至今仍未退流行的衣服，是陸婷買的，他曾經向陸婷提過，希望讓母親的穿著打扮走雍容高雅的貴婦路線，陸婷保證沒問題，可是衣服買回來之後，邱彬連試穿的機會都沒給母親。現在，母親確定沒那個命了。邱彬撥弄著新衣上垂吊的品牌標籤，臉上浮起一絲苦笑。

另一個衣櫃裡掛了幾件舊衣服，那是母親出殯後，他按照習俗，在母親遺物中挑選出來保存懷思的。他摸到一件米黃色毛衣，由於母親生前每年冬天必穿，所以很舊了，幾年了？他也說不上來，好像他讀小學時就看到母親穿它了。

邱彬取下毛衣，雙手捧著，貼上臉，溫熱柔軟中帶著微微的刺癢，那感覺，像貼著母親的背。有一年，他扭傷腳，每天由母親揹著上學，雖然知道母親很吃力，他也不肯下來拄枴杖走路，只為貪戀那份貼近母親的感覺。

邱彬貪戀的把母親的毛衣貼緊臉頰摩娑著，嘴角漾出甜蜜幸福的微笑。

突然，他聞到一股怪味，原先以為是舊衣服和衣櫥的味道，仔細嗅聞，發覺是動物身體和排泄物的氣味，而且越來越濃烈清楚——是蒼蠅爬過的味道。

邱彬像被火燒炙了一般丟掉毛衣，毛衣在地上鬆攤開來，味道隨之散開，他抓起毛衣衝向陽台把毛衣往外丟。毛衣不疾不徐地落在柏油路面上，兩隻袖子長長地伸開。

他從二樓怔怔地看著，那米黃與暗黑的路面形成對比，那麼的刺眼醒目，是否像母親皙白的軀體躺在暗黑的柏油路面那麼的觸目驚心？他不清楚，他沒親眼目睹車禍現場，因為那時他正在岳父的壽筵上應酬，接到通知趕往醫院，母親已經沒有生命跡象。

邱彬站在陽台，溼熱的眼被風拂過，有一絲清涼，他盯著暗黑路面上那一灘米黃，猶疑著要不要去撿回來。

一輛汽車自遠處駛來，速度很快，一下子就駛近了，眼看就要輾過母親——的毛衣了。邱彬急得大叫：

「不，不要！媽——」

叫著，身體也跟著往前一躍衝了出去，要去搶救母親——的毛衣。

奇怪的是，此刻他耳邊竟然又響起那不停的嗡嗡聲……。

83年5月26日　新生副刊

拔了羽毛的孔雀

上午，一家頗具規模的企業辦公室裡，員工正起勁的忙著。會計課的何宜靜退回王三勇的差旅費申請單，說：

「這種性質的出差，一次不能超過兩天。」

「我真的出差三天呢，不然我分開申請。」

「一次出差怎能申請兩次？明知故犯！」

「不行就算了，何必這麼凶！下班後，要不要我順路送妳回家？」

「我已經有約。」何宜靜一臉嚴肅。

王三勇回到座位，張仲白忍不住奚落他：

「又碰釘子啦？叫你少惹我們公司的聖女貞德，你偏不聽！人家學歷高、臉蛋美、身材棒，憑你也想追她？」

「我不行，你行？那你怎麼不試試？」王三勇訕訕的苦笑說。

「試她？省省吧！我何必自討沒趣？」

「莫非你也碰過釘子？你是情聖呢！不管是空姐、名模，只要被你鎖定，無不手到擒來，怎麼碰到聖女就沒輒呢？」王三勇故意激將，幾個男同事也感興趣的看著。

「誰敢給我釘子碰？誰說我沒輒？笑話！」張仲白沉不住氣，決定一試：「好吧！我就追給你看，免得你們不服氣。」

張仲白說罷，走向何宜靜桌前，默默的、溫柔的凝視何宜靜。何宜靜抬頭觸到一雙多情又專注的眼光，一陣悸動，隨即垂下眼簾，不敢直視。

張仲白心中有了譜，以堅定的聲音說：「我有話對妳說，下班後我在『帆』西餐廳等妳，直到打烊。」說完，立刻轉身離去，充滿自信，優雅又瀟灑。

「可是，我另有……約會了。」張仲白走遠了，何宜靜才微弱的拒絕，連自己都知道多麼無力。

張仲白交往過各式女人，早就摸熟了女人的心思。對何宜靜這種外表像冰山，內心像火山的女人，他不是怕追不到，而是怕甩不掉。因為這種女人對不中意的男人絕不假以顏色；對中意的男人絕不輕言放棄，愛起來可以為他死；恨起來可以要他死。他擔心被這種女人纏住，不得脫身。今天是受了王三勇的言語相激，才對何宜靜出手，想證明自己征服女人的魅力。

下班後，張仲白到「帆」西餐廳，氣定神閑的翻閱雜誌等待。過了一小時，他開始浮躁，信心有點動搖，倒不是覺得自己魅力不夠，而是懷疑這個死腦筋女人不知道有沒有聽清楚他的話，正想離開時，獵物出現了，他在心底為自己的勝利歡呼。

「我說我有約，可是你沒聽見，我不想讓你浪費時間在這裡等我，剛好我又必須路過，所以進來……說一聲……」何宜靜越說越心虛。

張仲白心裡偷笑著：「來這套，騙誰呀！」但他還是擺出一臉誠懇的說：「哦，我不知道妳有約，幸好妳來告訴我，不然我真的會傻傻的等到打烊，太感謝妳了——既然來了，坐下吧！妳瞧，大家要怪我怠慢佳人啦！」張仲白不讓何宜靜有推辭的餘地，謙恭有禮的為她拉椅子、寬外套。何宜靜也就順勢坐了下來。

兩份餐前酒適時的送到，何宜靜急忙說：

「我真的有約，不能久留。」

「我只求妳留下幾分鐘，我不問妳要去約會的那位幸運者是誰，那會使我嫉妒得想跳樓！但是，如果他連幾分鐘都不肯等，那我會殺了他！美麗的小姐總是需要時間去打發眾多的追求者吧？」張仲白誠摯肯切的說。

何宜靜就這樣，照著張仲伯編就的劇本，留下了。

凡事開頭難，有了第一次，接下來就容易了。不久，何宜靜的口頭禪「我已經有約」已經不是藉口，而是真的天天跟張仲白約會。

然後，一個浪漫的夜晚，在一家隱密的賓館裡，張仲白攫取了何宜靜的如玉之身。

「宜靜，妳把最珍貴的初夜給了我，我該怎麼報答妳呢？」張仲白把謊言說得痧啞哽咽，令人動容。

「你可不能辜負我！聽說很多女人，被你追上手玩過就丟！」

「唉！妳千萬別聽信傳聞，對那些指控，我一直沒辯解，是因為我寧可揹黑鍋，也要維護那些女性的名聲。」

「我不懂你的意思。」

「其實我從沒追過她們，是她們纏得我煩透了，當我不得不嚴辭拒絕，她們自尊心受了傷，便造謠中傷我！妳我是同事，妳看過我死皮賴臉的泡妞嗎？」張仲白說：「宜靜，我可以發誓——」

「我相信你，我剛才是擔心……」何宜靜承認張仲白在辦公室向來很有紳士風度，絕不是嘻皮笑臉的登徒子之流。

「傻瓜，妳擔心什麼呢，我尋尋覓覓了多少時光，才盼到妳，珍惜都唯恐不及，怎麼會拋棄妳？記住，妳是我生命中的唯一！」張仲白在何宜靜耳邊喃喃訴說。

何宜靜雖然過了豆蔻年華，卻是情竇未開，從未聽過如此動人的甜言蜜語，一顆心早已溶化，根本無法分辨話中的真假，只顧陶醉在浪漫幸福中。

從此，何宜靜換了個人似的，容光煥發了起來，上班時間不再霜寒著臉。她常常眼光迷濛的遠眺窗外，嘴角含笑的回味甜蜜戀情。

「何小姐，這份公文請妳——」張仲白打斷她遠颺的思緒，對她眨眨眼。

她瞄到公文上有紙條寫著：6:00愛妳

她的臉一陣熱，急忙把紙條揉掉，努力鎮定，現在才十點多，距下班還很久，可是她已經開始了甜蜜的期待。

中午，何宜靜走進公司餐廳，聽到同事陳秋英在倚老賣老的大發高論：

「妳們記住啊，男人沒有一個是好東西，越是嘴巴上說得好聽，越是心懷不軌，可惜女人就是容易被甜言蜜語迷惑，等到上當了，後悔已經來不及。什麼愛啦、情啦，全是假的！目的只是騙妳上床！等他玩膩了，躲妳就像躲瘟疫一樣，能逃多遠就逃多遠。妳們可要當心喲！」陳秋英說著，眼光卻不時意有所指的瞟向何宜靜。

這個陳秋英曾放話說張仲白曾經對她始亂終棄，不過，大家都半信半疑，因為她姿色平庸、年紀不小又離過婚，所以大家都認為可能是她倒追不成而惱羞成怒造謠洩忿。她也會忌恨與張仲白交往的女性，何宜靜現在就感受到陳秋英對她的敵意，於是她不甘示弱的說：

「男女關係不是單方面的，女人要跟男人上床之前也要查明對方是否真心，如果隨便就跟人上床，事後能怪誰？」

「咦？妳在替男人說話耶，妳好像很有經驗、很了解男人呢！」陳秋英邪惡的說。

同桌吃飯的幾個女同事都曖昧的笑了。何宜靜走出餐廳時還聽見陳秋英故意放大音量說：

「她敢保證她的男人永遠不會變心嗎？紅顏薄命，等著看她被甩吧！」

下午，何宜靜到總務課去洽公，課長不在，她想轉身離去時，從總務課旁邊的茶水間傳來一片笑鬧聲：

「到手了？」

「滋味如何？是原裝的嗎？」

一群男人在一起談女人肯定令人臉紅，何宜靜正想快步離開。陡的，雙腳像被強力磁鐵吸住了，因為她聽見張仲白的聲音：

「完全未拆封，如假包換！滋味呢，嗯，是說不出的美好。太棒了！她呀，興奮時把我抱得緊緊的，還把我抓得傷痕纍纍呢！」

「哎呀！別說了，受不了啦！」

「不愧是大情聖！何宜靜可是一隻驕傲的孔雀呢！」

「在你們眼裡是孔雀，但是如果拔去絢麗的羽毛呢？在我面前啊，呵呵，脫光了，只比母雞大一些！」張仲白的口氣十分得意。

「啊！孔雀變母雞——哈哈哈！」大夥笑得更張狂了。

何宜靜踉踉蹌蹌的衝進洗手間，一陣嘔吐，吐到胃已經空了，她還是覺得噁心，好像有許多骯髒醜陋的小蟲盤踞在體內，不斷蠕動，她想把牠們吐出來，不，她更想把自己剖開來，痛快的掏挖、沖洗一番……

她渾渾噩噩的請假回家，一向自視甚高，竟然輕易的迷戀張仲白的甜言蜜語，而張仲白征服她的目的，只為了證明他是大情聖！證明他能把孔雀變成母雞！張仲白太卑鄙齷齪，而自己則是愚蠢到無以復加！為什麼要脫去美麗高貴的羽毛呢？沒有了值得誇耀的羽毛，還像隻孔雀嗎？失去了值得驕傲的貞潔和尊嚴，還能抬頭挺胸做人嗎？她才駁斥了陳秋英「隨便跟人上床，事後能怪誰？」現在自己呢？

「鈴——」電話鈴聲在空寂的黃昏顯得特別刺耳。是下班後等不到何宜靜赴約的張仲白打來的，何宜靜不想接，她乾脆關上電源。

張仲白的日子不好過，平日擅長拋棄女朋友的他，即使在誇耀他征服了何宜靜時，也在思考如何高明的擺脫她。現在何宜靜的行為等於先甩開他，這讓他很受傷。他不明白、不相信、也不甘心，他想知道原因，但是打電話、登門送花、到處探聽，還是得不到答案。

何宜靜的日子更難過，她認為茶水間的談話一定很快的傳遍公司內外，包括時常往來的客户或廠商。那些平日想接近她，卻被她拒之千里的男人；那些平日就嫉妒她，卻找不到機會打擊她的女人，他們現在看到她，一定會想到脫光衣服的她，並且把她和「沒有羽毛的母雞」畫上等號。他們的眼光將如利箭，每看她一眼，就刺傷她一次。如果他們再趁機出言攻訐譏誚……何宜靜越想越怕，根本沒勇氣上班，只好繼續請假。

何宜靜不敢去上班，但又不能老是自我封閉，這讓她十分痛苦。還好，生命是會自己找出口的，當她覺得自己如同置身地獄時，一則新聞就像自天而降的一條繩索，解救了她。她不知道繩索那一端是不是天堂，也不知道離開這裡，即將前往的，又是什麼樣世界？她只想抓住繩索向上攀爬。

這一則新聞的標題是：狠妻剪男根，醉夫成太監。內容是說一位風流丈夫喜歡拈花惹草，妻子苦勸，反遭丈夫凌辱，妻子傷心絕望之餘，趁丈夫酒後熟睡，剪斷丈夫生殖器。報導說這件事震撼了社區居民，看似柔弱的女人，卻發狠作出令人震驚的事。

這一則新聞像炸藥，炸開何宜靜心中的枷鎖和眼前的霧翳，使她頓然清明。事件中的女人，對自己受到的凌辱與傷害，直接而快速的採取了必要手段，完全不計後果。這讓何宜靜沉痛的思考：女人因為愚蠢而嚐到惡果，男人也必須因為邪惡而受到懲罰。如果老天疏漏了，必須有人來執行！

何宜靜辭職了。

一個月後，何宜靜到公司向同事辭行：

「已經辦好出國遊學手續，如果住得習慣，就辦移民，謝謝多年來的照顧。」

她婉拒了同事們的餞行，卻對張仲白嫣然一笑說：

「我有話對你說，我在『帆』西餐廳等你。」

張仲白這段日子像被推進冰窖，此刻何宜靜這一朵雨後彩虹般的笑容，就像是燦爛溫暖的陽光照射進來，溶化了逼人的寒氣，張仲白的心情陡的飛揚起來——是嘛，怎麼就忘了，女人是很情緒化的，可以突然的生氣，也可以突然的高興，完全不需要理由！而且，拒絕，往往是要求的手段。

下班後，張仲白立刻趕到「帆」西餐廳，何宜靜已經先他而至，他不禁得意起來——不信她能逃過他手掌心！

「讓高貴美麗的小姐等待，我感到無比的榮幸與惶恐！我現在才體會一日不見如隔三秋的含意！」張仲白含情脈脈的凝視著佳人。

何宜靜瞟著他——高貴美麗？是指孔雀還是母雞？

「點餐吧，我——餓著呢！」

「哦！是，我——也餓著！」張仲白意會到何宜靜的雙關語，邪笑著回應。

餐廳只是暫時停留的緩衝站，既然兩人都又急又餓，就不必再偽裝了。他們很快的相偕走進熟悉的飯店。進了房間，張仲白立刻熱情的擁抱何宜靜，在她耳邊低語：

「親愛的，好久不見，有沒有想我啊？」

「嗯，很想——」何宜靜溫柔的回答，心裡想著：很想殺了你！

「真的嗎？我恨不得馬上看到妳的表現。」張仲白拉下何宜靜的衣服拉鍊，撥開衣肩，洋裝霎時滑落在厚實的織花地毯上，圈住何宜靜的腳踝。

何宜靜咬著牙想：你是想看孔雀被拔去羽毛的糗樣吧！但她假裝熱情的說：

「我也恨不得馬上向你證明——我們先洗澡吧！」何宜靜柔聲邀請張仲白共浴。

在浴缸裡，張仲白放鬆四肢，溫熱的水使他全身毛孔暢開，何宜靜溫柔的撫摸使他的舒適感不斷上升、上升、再上升……

張仲白看到面如桃花的何宜靜完全成為他的俘虜，他帶著勝利的微笑，閉上眼，專心享受極度的愉悅。享受著陶醉著，忽然覺得有一抹輕微的麻癢，他「嗯」了一聲；接著輕微的麻癢轉為一絲不適，他「喔」了一聲挪了挪身子，卻引來一陣痛感，他張開眼一看，整個浴缸的水，正被那迅速竄升漂動的鮮血染紅，不禁驚叫：「啊！」

他彈簧似的跳出浴缸，雙手護著胯下，驚駭的問道：

「妳，為什麼？」他踉蹌的撞向牆面，劇痛使他站不穩，身子靠著牆慢慢往下滑，終於綣縮在地上蠕動。

在霧氣瀰漫中，何宜靜看著那曾經令她著迷的俊秀臉龐因為痛苦而扭曲變形；看著那曾經令她無法抗拒的深情眼睛因為驚嚇過度而呆滯張突。

「因為拔了毛的孔雀，必須搭配去了勢的公雞！」

「我……叫救護車，快……」張仲白痛苦的說：「何宜靜，妳好狠！」

「比起你恣意踐踏我的全心付出，這只是一場惡作劇罷了。」

「我會報警讓妳坐牢。」

「報警？讓記者來採訪嗎？他們會怎麼寫呢？嗯——風流男子變成太監，這應該很吸引人吧！還有，一隻孔雀，或者說是一隻母雞，比較在意被關在籠子裡，或是被拔光身上的羽毛？關在籠子裡，或許還能重獲自由，被拔光羽毛，就只能等待被宰殺烹煮了！」

何宜靜邊說，邊整理服裝儀容，她對著鏡子牽動嘴角，鏡子裡映照出來的到底是聖女純潔的微笑，抑或是魔女惡毒的邪笑？她竟然無法分辨……

「我恨妳！何宜靜！」

「我知道，但是會有很多被拔了羽毛的孔雀感謝我！保重吧！我即將出國遠離這一切，等我再長出更鮮豔的羽毛時，或許我能原諒你，那時，再相見吧！」

何宜靜說完隨即離去，出去時，故意用力關門，「碰——」的一聲，震撼了看似寧靜，卻充滿詭譎曖昧的夜。

79年4月29日　台灣立報「文藝薈萃」